Kleine Anthologie herausgegeben von Gabrielle Lautenberg
Überarbeitete und erweiterte Neuauflage von
"Engadina - Luogo dello Spirito", Scheiwiller 1980
Aquarelliert von Vittore Ceretti

Piccola antologia a cura di Gabrielle Lautenberg
Edizione amplificata e rielaborata di
"Engadina - Luogo dello Spirito", Scheiwiller 1980
Versione italiana in collaborazione con Nora Moll, Filippo
Bettini e Alexis P. Lautenberg
Acquarelli di Vittore Ceretti

Petite anthologie publiée par Gabrielle Lautenberg
Edition revue et augmentée de
"Engadina - Luogo dello Spirito", Scheiwiller 1980
Version française en collaboration avec Régine Kopp
Aquarelles de Vittore Ceretti

Coordinamento editoriale Marco Tamborini
Progetto grafico studio paolozanzi
Realizzazione e stampa Grafiche Nicolini, Gavirate (Va) - Italia

ISBN 88-86623-22-4

Montabella Verlag, CH-7500 St. Moritz
www.montabella.ch
ISBN 3-907067-20-7

Kleine Anthologie herausgegeben von Gabrielle Lautenberg
Überarbeitete und erweiterte Neuauflage von
"Engadina - Luogo dello Spirito", Scheiwiller 1980
Aquarelliert von Vittore Ceretti

Piccola antologia a cura di Gabrielle Lautenberg
Edizione amplificata e rielaborata di
"Engadina - Luogo dello Spirito", Scheiwiller 1980
Versione italiana in collaborazione con Nora Moll, Filippo
Bettini e Alexis P. Lautenberg
Acquarelli di Vittore Ceretti

Petite anthologie publiée par Gabrielle Lautenberg
Edition revue et augmentée de
"Engadina - Luogo dello Spirito", Scheiwiller 1980
Version française en collaboration avec Régine Kopp
Aquarelles de Vittore Ceretti

Coordinamento editoriale Marco Tamborini
Progetto grafico studio paolozanzi
Realizzazione e stampa Grafiche Nicolini, Gavirate (Va) - Italia

ISBN 88-86623-22-4

Montabella Verlag, CH-7500 St. Moritz
www.montabella.ch
ISBN 3-907067-20-7

ENGADIN

ENGADINE - ENGADINA - ENGIADINA

Einführung - Introduction - Introduzione
Mario Rigoni Stern

Anthologie - Anthologie - Antologia
Gabrielle Lautenberg

Aquarelle - Aquarelles - Acquarelli - Acquarellen
Vittore Ceretti

Nicolini Editore Montabella Verlag

Einführung

Mario Rigoni Stern

Dies ist ganz offensichtlich weder ein Ferienwerbeprospekt, buntbebildert und nur allzu oft banal beschriftet, noch einer dieser schönen Bergführer, in welchen die Wege und Pfade zu den Gipfeln über Felswände und Gletscher beschrieben und sogar die Schwierigkeitsgrade in nur für erprobte Berggänger erkenntlichen Kürzeln angegeben sind. Es ist auch keine Abhandlung über Flora, Fauna und Geologie, wie immer lobenswert und nützlich diese auch für die Kenntnis des Lebensraumes eines Gebirgstals sein mögen. Nein, dieses Engadin ist wahrhaftig ein Ort des Geistigen: Natura naturata (geschaffene Natur) / Natura naturante (schaffende Natur), Geistiges das als Mensch, der hier seit Anbeginn der Geschichte in der Natur aufgeht, sichtbar wird. (Wie rührt uns doch der Oetzi an! Seit Jahrhunderten lebt er dort und versteht es, diesen Ort so schön und gepflegt wie kaum ein anderer in den Alpen zu erhalten.)

Deshalb also wird einem, jedes Mal wenn man ins Engadin zurückkommt, das Herz leicht und rein wie ein Kind vermag man das Leben einfach nur zu lieben.

Ein Spaziergang in der Uebergangszeit, in Ruhe, entlang der Wege, durch einen Wald, einen Berg hinauf, wo, wie Proust schrieb "unsere kindliche Vorstellung verwirklicht vor uns lag. Uns zur Seite schimmerten Gletscher. Zu unseren Füssen durchzogen reissende Bergbäche eine wilde Engadiner Landschaft von dunklem Grün..."

Während meiner drei Besuche in diesem Tal der Alpen, in seinen Wäldern und Hirschweiden, die sich vom Malojapass bis hin zur Finstermünzschlucht erstrecken, habe ich sehr wohl diese Aspekte erfasst, es war wie als hätte ich sie seit langem in meinem Herzen getragen. Nun aber, beim Lesen der folgenden Seiten aus der von Gabrielle Lautenberg mit Sorgfalt und Einfühlungsvermögen zusammengestellten Anthologie und beim Betrachten der feinen Aquarelle von Vittore Ceretti finde ich dieses verborgene, von mir erahnte Engadin wieder, das nur das Wunder der Kunst offenbaren kann: Nietzsche, Segantini, Proust, Cocteau, Adorno und Dichter wie Benn "Es war kein Schnee, doch Leuchten, das hoch herab geschah ...." und Cerrettis Landschaften rufen lieb gewordene Bilder ins Gedächtnis zurück, die den Alltag weniger hart aber auch das Weiterleben unbeschwerter machen, denn auf den langen Winter folgt immer wieder der Frühling, wie Segantini in seinem erstaunlichen Brief vom 8. April 1893 schrieb.

Wenn das Mondlicht von hinter den Bergen andere Berge beleuchtet, wenn das Tal still entlang dem Lauf des Inns ruht und die Gestirne am Himmel aufziehen, um sich uralte Mythen zu erzählen, dann spürt man gerade im Engadin, dass die Erde Teil des Universums ist. Die Hirsche in den Lichtungen röhren auf das Leben und die Wasser, die von den Gletschern abwärts ins Meer des Goldenen Vlieses fliessen, tragen die Stimme der Alpen zu den Bergen des Pontus Exinus. Die Wasser fliessen hinab, kommen zurück, werden wieder zu Eis und auch die Geschichte der Menschen setzt ihren Lauf fort - mehr mit kreativen Gedanken der Poesie und der Kunst als mit Bergbahnen und grossen Hotels.

Am späten Nachmittag wird der Schnee schmelzen, die Wiesen werden wieder ergrünen, denn, wie Segantini schreibt, die Natur rüttelt sich, ihren Gesetzen gehorchend, wach. Auch Cerettis wunderbare Bilder und die so trefflich von Gabrielle Lautenberg ausgewählten Texte rütteln an unserer Seele und erlösen sie so von der Stumpfheit der Stadtmenschen.

Introduzione

Mario Rigoni Stern

Questo, lo vedete, non è un pieghevole di propaganda turistica con fotocolor e didascalie quasi sempre banali, non una guida alpinistica pur bella con indicazioni di sentieri e vie di salita per pareti di roccia e ghiacciai e che descrive pure le difficoltà con sigle solo per esperti scalatori; non un saggio su flora, fauna o geologia, pure lodevole e indispensabile per chi vuole conoscere l'ambiente di una valle alpina; ma questa Engadina è veramente Luogo dello spirito: natura/naturante, spirito visibile in quanto l'uomo, qui inseritosi all'albore della storia (come emoziona l'Uomo di Similaun! continuando ad abitarla per secoli ha saputo conservarla bella e civile come pochi altri luoghi delle Alpi).

Ecco perché "ritornare" in Engiadina è come ritornare fanciulli nello spirito e, semplicemente, amare la vita. Andare nelle stagioni di mezzo, in silenzio, per i sentieri, attraversare una selva, salire un monte e, da lassù, come scrisse Proust: "... Davanti agli occhi, reale, ecco la nostra fantasia infantile. Da presso luccicavano i ghiacciai. Ai nostri piedi un selvaggio paesaggio d'Engadina, verde cupo, era percorso da torrenti. Poi una collina d'un verde misterioso ...".

Nelle mie tre visite in questa valle delle Alpi, in queste selve con acque limpide e pascoli da cervi che vanno dal Passo del Maloja alla Gola di Finstermünz, avevo sì recepito questi aspetti, ed era come li avessi cullati nel cuore da tanto tempo ma ora, leggendo le pagine dell'antologia curata con particolare, raffinata selezione di Gabrielle Lautenberg e guardando i finissimi acquarelli di Vittore Ceretti, ritrovo l'Engiadina nascosta che avevo intuito e che solo il miracolo dell'arte riesce a manifestare chiaramente: Nietzsche, Segantini, Proust, Cocteau, Adorno e i poeti come Benn, "Non era neve, ma luce / che dall'alto accadeva, / ..." e i paesaggi di Ceretti resuscitano nella memoria care immagini che ti fanno meno duro il vivere quotidiano ma, anche, serena la continuazione della vita perché dopo il lungo inverno ritorna sempre la primavera, come diceva Segantini in quella stupefacente lettera dell'8 aprile 1893.

In Engadina è anche sentirsi sulla Terra dell'Universo quando la luce della luna da dietro una montagna schiarisce altre montagne e la valle riposa silenziosa lungo il corso dell'Inn e le costellazioni appaiono nel cielo a raccontarci i miti. I cervi, nelle loro radure, bramiscono alla vita e scorre via l'acqua che scende dai ghiacciai per poi arrivare fino laggiù, nel mare del Vello d'Oro, a portare la voce delle Alpi ai monti del Ponto Eusino.

Le acque scendono, ritornano, ridiventano ghiaccio e la storia degli uomini continua anch'essa il suo cam-

mino con i pensieri creativi della poesia e dell'arte più che con le funivie e i grandi alberghi.
Nella tarda primavera si scioglierà la neve, rinverdiranno i prati perché, come scriveva Segantini, la natura obbediente alla sue leggi si è scossa. Anche Ceretti, con i suoi mirabili paesaggi e la variegata antologia di Gabrielle Lautenberg scuotono l'animo nostro, liberandolo dall'intorbidamento cittadino.

Introduction

Mario Rigoni Stern

Le livre entre vos mains n'est ni un dépliant touristique avec photos en couleurs et commentaires trop souvent quelconques et encore moins un de ces superbes guides de randonnées décrivant les chemins et sentiers vers les sommets et indiquant les degrés de difficultés par des sigles, que seuls les montagnards experts sont en mesure de déchiffrer. Il ne s'agit pas non plus d'un traité sur la flore, la faune ou la géologie, si louable et indispensable que cela soit, pour qui veut connaître l'environnement d'une vallée alpine. En fait, cette Engadine est vraiment Lieu de l'esprit : nature/naturante, le spirituel visible dans lequel l'homme s'inscrit depuis le prémisses de l'histoire (combien nous bouleverse Oetzi, l'homme préhistorique, qui vit là depuis des siècles et a su conserver la beauté et l'urbanité de ce lieu comme peu d'autres dans les Alpes).

Voilà pourquoi, "retourner" en Engadine, c'est y retrouver son âme d'enfant et aimer la vie, tout simplement.

Se promener dans l'entre-deux saisons, en silence, le long des sentiers, traverser une forêt, monter sur une montagne et là-haut, comme l'écrivit Proust : "notre enfantine imagination était devant nos yeux réalisée. A côté de nous, des glaciers étincelaient. A nos pieds des torrents sillonnaient un sauvage pays d'Engadine d'un vert sombre...".

Lors de mes trois séjours dans cette vallée des Alpes, avec ses forêts, ses ruisseaux limpides et ses pâturages de cerfs, qui s'étendent du col de Maloja jusqu'aux gorges du Finstermünz, j'ai perçu ces aspects et c'était comme si je les portais en moi depuis longtemps. Mais à présent, en lisant les textes de l'anthologie réunis avec soin et sensibilité par Gabrielle Lautenberg et en regardant les aquarelles aériennes de Vittore Ceretti, je retrouve cette Engadine cachée que je sentais intuitivement et que seul le miracle de l'art réussit à révéler clairement : Nietzsche, Segantini, Proust, Cocteau, Adorno et des poètes comme Benn, "Ce n'était pas de la neige mais un éclat qui produisait là-haut..." et les paysages de Ceretti ressuscitent dans la mémoire des images chères qui aident à mieux supporter le quotidien et rendent la vie plus légère, car au long hiver succède toujours le printemps, comme l'écrivit Segantini dans sa lettre stupéfiante du 8 avril 1893.

En Engadine, lorsque la lumière de la lune cachée derrière une montagne inonde d'autres montagnes, que la vallée repose silencieuse le long du cours de l'Inn et que les constellations apparaissent dans le ciel à se raconter d'antiques mythes, on ressent que la terre est partie intégrante de l'univers. Le brame des cerfs dans leurs clairières célèbre la vie et les eaux descendent des glaciers pour arriver là-bas, dans la mer de la Toison d'or, portant ainsi la voix des Alpes jusqu'aux montagnes du

Pontus Exinus. Les eaux descendent, retournent, redeviennent glace et l'histoire des hommes continue en s'écrivant plus avec les pensées créatrices de la poésie et de l'art qu'avec les téléphériques et les grands hôtels.
A la fin du printemps, la neige fondra, les prés reverdiront, car, comme l'écrivait Segantini, la nature, obéissant à ses lois, a tressailli. C'est ce que traduit le choix des textes proposés par Gabrielle Lautenberg et que l'on ressent dans les magnifiques paysages de Ceretti qui secouent notre âme et la libère de l'abrutissement du citadin.

Vorwort

Gabrielle Lautenberg

Dieses Buch lädt den Leser zu einer imaginären multikulturellen Reise durch eine der schönsten Gegenden der Schweiz ein: das Engadin - oder genauer das Oberengadin, von dem hier die Rede sein wird. Die weite Hochebene, die silbrigen, glasklaren Seen, die Reinheit der Bergkonturen, der hohe südliche Himmel lassen keinen Betrachter innerlich unbewegt. Dichter und Maler haben wunderbare Zeugnisse über ihre Ergriffenheit angesichts dieser erhabenen Bergwelt abgelegt. Empfindungen und Gedanken, Assoziationen und Inspirationen, die ihr Zauber in uns allen erweckt, sind dank ihrer zu ästhetisch greifbaren Wort-Bildern geworden. Einige davon sind im Folgenden auf Deutsch, Italienisch, Französisch wiedergegeben. Auch des Rhätoromanischen wird anhand einiger kurzer Gedichte gedacht. Gemeinsam lassen diese Texte ein vielstimmiges Lied erklingen, das die Komplizität und den Gedankenaustausch zwischen Engadinliebhabern über die Sprachgrenzen hinweg vertiefen möchte.

Ohne die luftigen, zarten Aquarellen von Vittore Ceretti wäre der vorgeschlagene Spaziergang allerdings unvollständig. Sie stehen hier stellvertretend für die vielen Maler - man denke nur an Segantini oder Hodler - die die poetische Stimmung dieser Landschaft mit dem Pinsel und nicht mit der Feder festgehalten haben. Vittore Cerettis Zeichnungen und die ausgewählten kurzen Texte haben eines gemeinsam: es geht ihnen nicht um die Darstellung der real existierenden Alpenwelt, sondern sie deuten die geheimnisvoll feierliche Wirklichkeit der sie umgebenden Natur als eine Erscheinung des Geistigen. Die einzigartige Schönheit des Engadins regt sie, wie Nietzsche es einst in Sils Maria schrieb "zur stummen Anbetung des Augenblicks ihrer Offenbarung" an.

Die Texte und Illustrationen sind bewusst so angeordnet, dass der Leser einer den topografischen Gegebenheiten entsprechenden Reiseroute folgen kann. C.F. Meyer führt ihn hinab vom Julier ins "samtgrüne Engadin", wo er auf Nietzsches und Segantinis Spuren nach Sils und Maloja gelangt. Dort, am Ende des Tals, wirft er entlang der Wunderstrasse nach Italien einen kurzen Blick ins Bergell der Giacomettis. Zurück an den Ufern der Seen von Sils und Silvaplana bringt die Poesie Marcel Prousts seine Seele zum Schwingen und bezaubert folgt er ihm auf den Berninapass. Auch hier lädt eine schimmernde Strasse zum Abstecher ins nahe Italien ein. Welch ein Kontrast zwischen der rauen, öden Gletscherlandschaft mit ihren kristallklaren Farben und dem langsam immer hügeliger, sanfter werdenden, in sanftes Licht getauchten Tal öffnet sich dort

vor seinen Augen! Richard Strauss, Stefan Zweig, Thomas Mann, Eugenio Montale begleiten den Leser über Pontresina ins winterweisse St. Moritz, bevor er zusammen mit Hermann Hesse hastig über den Julier zurück in die Alltagswelt eilt.
Ob er in der Einsamkeit der majestätischen Berge wohl Friedrich Nietzsche "Et in Arcadia ego" raunen gehört hat? Dieses Zitat aus Vergils V. Eclogae kann sowohl mit "Auch ich lebte einst in der friedvollen Idylle Arkadiens und ich war glücklich hier" oder mit "Auch ich der Tod existiere (selbst) in Arkadien" übersetzt werden.
Es ist genau diese Doppeldeutigkeit Arkadiens, die man im Engadin besonders stark empfindet. Gegensätze scheinen sich hier zu verbünden und so wundert es nicht, wenn Eugenio Montale schreibt, dass man das Leben an keinem anderen Ort so voll einatmen kann wie dort.

Prefazione

Gabrielle Lautenberg

Questa pubblicazione invita il lettore ad un viaggio immaginario multiculturale attraverso l'Engadina, e più particolarmente l'Engadina Alta, uno dei più suggestivi paesaggi svizzeri. Dinanzi alla magia della vasta vallata, dei laghi chiarissimi ed argentei, della purezza delle linee montane e dell'alto cielo già meridionale lo spettatore non può rimanere indifferente. Poeti e pittori hanno lasciato testimonianze meravigliose della loro commozione in mezzo all'universo grandioso di queste montagne. Essi traducono le molteplici percezioni, le profonde riflessioni e le improvvise associazioni di idee che tutti noi proviamo e che nei loro scritti e nei loro quadri da sensazione immediata divengono realtà tangibili. Alcuni di questi testi sono riprodotti di seguito, in tedesco, italiano e francese, non senza ignorare, con talune poesie, il reto-romanico. Nel loro insieme questi brani fanno risuonare una melodia polifonica, che intende approfondire la complicità ed il dialogo fra gli amanti dell'Engadina al di là delle barriere linguistiche.

Senza i delicati ed ariosi acquarelli di Vittore Ceretti la passeggiata proposta rimarrebbe però incompleta. Essi vogliono infatti essere un riferimento ai numerosi pittori - si pensi solo a Segantini o Hodler - che hanno magistralmente fissato, con il pennello e non con la penna, l'atmosfera poetica di questa regione. I disegni di Vittore Ceretti e i brani letterari vertono attorno ad un tema comune: entrambi non rappresentano il mondo alpino nella sua accezione fisica ma interpretano la realtà della natura solenne e segreta come una manifestazione dello spirito. La bellezza dell'Engadina, come scriveva Nietzsche da Sils Maria, incita a cogliere nel silenzio l'attimo della sua rivelazione.

I testi e le illustrazioni sono ordinati in una successione tale da condurre il lettore lungo un itinerario che corrisponde alla topografia della valle. Insieme a C.F. Meyer il lettore scende dal passo dello Julier verso un'Engadina verde e vellutata. Qui percorre le tracce di Nietzsche e Segantini per arrivare a Sils e a Maloja. Dall'alto del colle lo sguardo segue la strada che scorre ripida verso la Val Bregaglia, così cara ai Giacometti. Lungo le rive dei laghi di Sils e di Silvaplana la poesia di Marcel Proust mette in effervescenza l'anima del lettore che, incantato, verrà poi condotto sul passo del Bernina. Una strada scintillante l'invita ad immaginare nuovamente una furtiva incursione verso l'Italia vicina. Quanto contrasta, qui in vetta, il ruvido paesaggio alpino dai colori cristallini con le dolci e collinose contrade giù in valle! Richard Strauss, Stefan Zweig, Eugenio Montale accompagnano il nostro viaggiatore da Pontresina a St. Moritz che risplende nel sole invernale. È già il

momento in cui dobbiamo lasciare l'Engadina. Inspirandosi ad una poesia di Hermann Hesse imbocchiamo spedito il passo dello Julier rientrando così alla realtà quotidiana.
È possibile che il lettore, nella solitudine di questo maestoso scenario, abbia colto Friedrich Nietzsche sussurrare "Et in Arcadia ego"? Questa citazione, tratta della V. Eclogae di Virgilio può essere tradotta nel senso "Anch'io ho vissuto nell'idillio pacifico dell'Arcadia ed ero felice" come pure con "Anch'io, la morte, esisto in Arcadia".
È questa duplice natura dell'Arcadia che si percepisce in Engadina, dove l'unione dei contrasti sembra realizzata e che fa dire a Eugenio Montale che "qui si può veramente respirare la vita".

Préface

Gabrielle Lautenberg

Ce livre invite le lecteur à faire un voyage imaginaire, multiculturel dans un des plus beaux paysage de Suisse: l'Engadine - et plus exactement la Haute Engadine dont il sera question dans ce volume. Le vaste plateau, les lacs limpides et argentés. La pureté des cimes et le ciel élevé, déjà méridional ne laissent aucun visiteur insensible. Poètes et peintres ont légué de merveilleux témoignages pour nous dire leur émotion face à la grandeur de cet univers de montagnes. Sensations et pensées, associations et inspirations, qui engendrent en chacun de nous leur magie, se métamorphosent en concepts esthétiques, écrits et visuels tangibles. Vous trouverez quelques-uns des textes, un peu plus avant, et ceci en allemand, en français et italien. Nous n'avons pas non plus oublié le romanche, honoré par quelques petits poèmes. C'est un chant polyphonique que nous voulons faire entendre, permettant aux passionnés de l'Engadine de se retrouver complices et de partager leur attachement pour cette terre au-delà des barrières linguistiques.

La promenade proposée resterait toutefois incomplète sans les aquarelles si légères et aérées de Vittore Ceretti, parangon des œuvres de tous les peintres qui, comme Segantini et Hodler, ont saisi l'atmosphère poétique de ce paysage, en se servant du pinceau et non pas de la plume. Les dessins de Vittore Ceretti et l'anthologie des textes ont une caractéristique commune. Il ne s'agit pas ici de représenter le monde alpestre tel qu'il est, mais la réalité de cette nature à la fois solennelle et secrète, est une métaphore de la présence du spirituel. La beauté unique de l'Engadine vous porte, comme l'écrivit Friedrich Nietzsche à Sils Maria «à une muette adoration de cet instant de révélation».

Les textes et illustrations sont intentionnellement ordonnés, pour que le lecteur puisse parcourir la route correspondant aux contraintes topographiques. C.F. Meyer le conduit du col du Julier dans «l'Engadine de velours vert», d'où il suivra les traces de Nietzsche et Segantini vers Sils Maria et Maloja. De là, au bout de la vallée, il contemplera la route magique vers l'Italie dans le Val Bregalia, si cher aux Giacometti. Il se dirigera ensuite sur les rives des lacs de Sils et de Silvaplana où la poésie de Marcel Proust rendra son âme sonore et, enchanté, il cheminera en direction du col de la Bernina. Une route étincelante l'invitera une fois de plus à franchir la frontière et faire un détour par l'Italie toute proche. Quel contraste entre la dureté sauvage du paysage désertique des glaciers avec ses couleurs claires comme du cristal et la douceur des collines vallonnées baignant dans la lumière chaude! Richard Strauss, Stefan Zweig, Eugenio Montale

accompagneront notre voyageur de Pontresina à la blanche St. Moritz, avant qu'il ne regagne prématurément en compagnie de Hermann Hesse le Julier pour retourner dans la vie quotidienne.
Aura-t-il entendu dans la solitude des montagnes si majestueuses le murmure de Friedrich Nietzsche «Et in Arcadia ego» ? Cette citation de la V. Eclogae de Virgile peut aussi bien signifier «Moi aussi, j'ai vécu dans cette Arcadie idyllique et pacifique et j'y fus heureux» que «Moi aussi, la mort, j'existe (même) en Arcadie».
C'est cette duplicité de l'Arcadie que l'on ressent en Engadine. L'union des contrastes y semble réalisée. Ici, pour le dire avec Eugenio Montale, «l'on peut véritablement respirer la vie.»

Pontresina, St. Maria Kirche, 1997

Anthologie - Antologia - Anthologie

Conrad Ferdinand Meyer (1825-1898)

Jörg Jenatsch. Eine Bündnergeschichte
Die Mittagssonne stand über der kahlen, von Felshäuptern umragten Höhe des Julierpasses im Land Bünden. Die Steinwände brannten und schimmerten unter den stechenden senkrechten Strahlen...
In der Mitte der sich dehnenden Passhöhe standen rechts und links vom Saumpfade zwei abgebrochene Säulen, die der Zeit schon länger als ein Jahrtausend trotzen mochten. In dem durch die Verwitterung beckenförmig ausgehöhlten Bruche des einen Säulenstumpfes hatte sich Regenwasser gesammelt. Ein Vogel hüpfte auf dem Rand hin und her und nippte von dem klaren Himmelwasser...
Waser drückte seinen Filzhut tiefer in die Stirn, schnallte sein Ränzchen fester und sprang, am jetzt steil werdenden Abhang, die weiten Windungen des Saumpfades kürzend, eilig abwärts. Erst überschritt er die Wurzeln blitzgeschwärzter, seltsam verdrehter Arvenbäume und die harten Rinnen ausgetrockneter Wildbäche, dann trat er weichen Rasen, und plötzlich lag das samtgrüne Engadin geöffnete ihm zu Füssen mit seinen am blitzenden Inn wie ein Geschmeide aufgereihten Bergseen.

Friedrich Nietzsche (1844-1900)

Der Wanderer und sein Schatten
Aphorismus 295. Et in Arcadia ego.
Ich sah hinunter, über Hügelwellen, gegen einen milchgrünen See hin, durch Tannen und altersernste Fichten hindurch: Felsbrocken aller Art um mich, der Boden bunt von Blumen und Gräsern. Eine Herde bewegte, streckte und dehnte sich vor mir; einzelne Kühe und Gruppen ferner, im schärfsten Abendlichte, neben dem Nadelgehölz, andere näher, dunkler, alles in Ruhe und Abendsättigung. Die Uhr zeigte gegen halb sechs. Der Stier der Herde war in den weissen, schäumenden Bach getreten und ging langsam widerstrebend und nachgebend seinem stürzenden Laufe nach: so hatte er wohl seine Art von grimmigem Behagen. Zwei dunkelbraune Geschöpfe, bergamasker Herkunft, waren die Hirten: das Mädchen fast als Knabe verkleidet. Links Felshänge und Schneefelder über breiten Waldgürteln, rechts zwei ungeheure beeiste Zacken, hoch über mir, im Schleier des Sonnenduftes schwimmend - alles gross, still, hell. Die gesamte Schönheit wirkte zum Schaudern und zur stummen Anbetung des Augenblickes ihrer Offenbarung; unwillkürlich, wie als ob es nichts Natürlicheres

gäbe, stellte man sich in diese reine scharfe Lichtwelt (die gar nichts Sehendes, Erwartendes, Vor- und Zurückblickendes hatte) griechische Heroen hinein; man musste wie Poussin und seine Schüler empfinden: heroisch zugleich und idyllisch.

Der Wanderer und sein Schatten
Aphorismus 338. Doppelgängerei der Natur.
In mancher Natur-Gegend entdecken wir uns selber wieder, mit angenehmen Grausen; es ist die schönste Doppelgängerei. Wie glücklich muss der sein können, welcher jene Empfindung gerade hier hat; in dieser beständigen sonnigen Oktoberluft, in diesem schalkhaft-glücklichen Spielen des Windzuges von früh bis Abend, in dieser reinsten Helle und mässigsten Kühle, in dem gesamten anmutig ernsten Hügel, Seen- und Wald- Charakter dieser Hochebene, welche sich ohne Furcht neben die Schrecknisse des ewigen Schnees hingelagert hat - hier, wo Italien und Finnland zum Bunde zusammengekommen sind und die Heimat aller silbernen Farbentöne der Natur zu sein scheint; wie glücklich der, welcher sagen kann: “es gibt gewiss viel Grösseres und Schöneres in der Natur, dies aber ist mir innig und vertraut, blutsverwandt, ja noch mehr.”

Jean Cocteau (1899-1963)

Requiem
Und da, im Frost des Engadins
empfangen mich, Seite an Seite
Feuer und Eis seine Riesen
und vor dem geheiligten Haus
unter der hohen Schneehaube
knie ich hin auf der Schwelle.

Und ich esse von ihrem Schnee,
weil jener Mann, von dem weder Lou
noch Paul Ré jemals wussten,
was sein rätselhafter Schnurrbart verbarg,
auf dieser Stufe sass, um deinen Wein,
Dionysos, zu kosten.

Nietzsche, von meinen Knien bleibt.
An diesem Morgen eine Spur zurück.
Hier auf dem weissen Samt des Kissens,
das mir den Schlüssel bot zu deiner Tür.

(Übersetzung Hanno Helbling)

Theodor W. Adorno (1903-1969)

Kulturkritik und Gesellschaft
Aus Sils-Maria

Zu ihrer (der Murmeltiere) Ausdruckslosigkeit passt die der Landschaft. Sie atmet keine mittlere Humanität aus. Das verleiht ihr das Pathos der Distanz Nietzsches, der dort sich versteckte. Zugleich ähneln die Moränen, für jene Landschaft charakteristisch, Industriehalden, Schutthaufen des Bergbaus. Beides, die Narben der Zivilisation und das Unberührte, jenseits der Baumgrenzen, steht konträr zur Vorstellung von Natur als einem tröstlich, wärmend, dem Menschen Zubestimmten; es verrät schon, wie es im Kosmos aussieht. Die gängige Imago von Natur ist begrenzt, bürgerlich eng, geeicht auf die winzige Zone, in der geschichtlich vertrautes Leben gedeiht; der Feldweg ist Kulturphilosophie. Wo die Herrschaft über Natur jene beseelte und trugvolle imago zerstört, scheint sie der transzendenten Trauer des Raumes sich zu nähern. Was die Engadinlandschaft an illusionsloser Wahrheit vor der kleinbürgerlichen voraus hat, wird wettgemacht von ihrem Imperialismus, dem Einverständnis mit dem Tod...

Die Geschichten, denen zufolge im Keller des Hotel Edelweiss oder der Alpenrose Stapel Nietzschescher Manuskripte verstaubt lagerten, sind gewiss apokryph. Wäre etwas dergleichen vorhanden, so hätte es die Forschung längst aufgestöbert. Man muss wohl die Hoffnung fahren lassen, dass unbekanntes Material es erlaubte, den Streit zwischen Lama und Schlechta zu schlichten. Aber ich erfuhr vor einigen Jahren, der Seniorchef der opulenten Kolonialwarenhandlung des Ortes, Herr Zuan, habe als Kind Nietzsche noch gekannt. Wir gingen, Herbert Marcuse und ich, hin und wurden liebenswürdig in einer Art Privatkontor empfangen. Tatsächlich konnte Herr Zuan sich erinnern.

Des Näheren befragt, erzählte er, Nietzsche hätte, bei Regen wie bei gutem Wetter, einen roten Sonnenschirm getragen - anzunehmen, dass er davon Schutz gegen die Kopfschmerzen erhoffte. Eine Bande von Kindern, zu der auch Herr Zuan gehörte, hatte sich ein Vergnügen daraus gemacht, ihm in den zusammengefalteten Schirm Steinchen zu praktizieren, die ihm, sobald er den Schirm öffnete, auf den Kopf fielen.

Drohend wäre er dann mit gehobenem Schirm hinter ihnen hergelaufen, hätte sie aber nie erwischt. Wir dachten, in welche schwierige Situation der Leidende gekommen sein musste, der seine

Quälgeister vergebens verfolgte und ihnen am Ende womöglich noch recht gab, weil sie das Leben gegen den Geist repräsentieren; es sei denn, die Erfahrung realer Mitleidlosigkeit hätte ihn an einigen Philosophemen irregemacht. Auf weitere Details wusste Herr Zuan nicht sich besinnen, wohl aber hätte er uns über den Besuch der Queen Victoria berichten können, und war leise enttäuscht, dass uns der nicht ebenso wichtig war. Unterdessen ist Herr Zuan, über neunzigjährig, gestorben.

Friedrich Nietzsche (1844-1900)

Die fröhliche Wissenschaft, "la gaia scienza"
Sils Maria

Hier sass ich wartend - doch auf nichts,
jenseits von Gut und Böse, bald des Lichts
geniessend, bald des Schattens, ganz nur Spiel,
ganz See, ganz Mittag, ganz Zeit ohne Ziel.

Da plötzlich, Freunde, wurde Eins zu Zwei
Und Zarathustra ging an mir vorbei.

Hermann Hesse (1877-1963)

Beschreibungen einer Landschaft, Schweizer Miniaturen

Eine unsäglich kräftige, kühle, herbe Bergluft gibt allen Farben eine emailartige Frische, namentlich das Wasser des Flusses und der Seen hat einen Glanz und eine glasklare Tönung wie kaum in einem anderen Tal der Schweiz. Ein schöner Wanderweg führt über dem Wasser hin, jenseits von Silvaplana am See vorbei nach Sils-Maria. Und von hier sieht man über den zweiten See hinweg in die Berge und auf herrliche steile Gelände, und am Horizont liegt breit und fürstlich als Tor zum Süden das alte Maloja, das Bergell und die Wunderstrasse nach Italien verbergend.

Stefan Zweig (1881-1942)

Rausch der Verwandlung

Endlich bei einem Ausblick stoppt der Chauffeur. "Maloja", erklärt General Elkins und geleitet sie mit der gleichen ehrerbietigen Höflichkeit aus dem Wagen. Grossartig ist der Ausblick in die Tiefe; in kunstvollen Kehren stürzt die Strasse wie ein Sturzbach hinab; man fühlt, das Gebirge ermattet hier, es fehlt ihm die Kraft, sich länger zu Höhen und Gletschern zu türmen, mit einem Ruck wirft es sich hinab in ein fernes, unübersehbares Tal. "Hier unten beginnt die Tiefebene, beginnt Italien", zeigt ihr Elkins. "Italien", staunt Christine auf, "so nahe ist das, wirklich so nahe?"

Giovanni Segantini (1858-1899)

Brief an Anna Radius Zuccari (Neera)
Savognin, 8.4.93
Liebste Frau Neera,
Ich habe Ihre Erzählungen gelesen. Schön sind sie. Besonders die beiden Letzten gefallen mir sehr. Ich danke Ihnen, liebste Freundin, dass Sie eines lebendig Begrabenen gedenken. Diesen Winter ist übermässig viel Schnee gefallen. Aber nun ist der göttliche, hier immer spät eintreffende Frühling gekommen und auch dieses Jahr hat er das Grab der Natur mit seinem Zauberstab berührt und die Natur hat sich, seinen Gesetzen gehorchend, wachgerüttelt: Schnee und Eis, die sie bedeckten, sind geschmolzen und haben die kargblasse Oberfläche entblösst, die sich zersetzt, um neuem Leben Kraft zu geben. Schon sieht man zartgrüne Grashalme das dürre Reisig heben und inmitten des verschimmelten Flaumes spriessen, und da und dort blühen schon kleine Margeriten mit ihren gelben Augen und schneeweissen Spitzenkrausen. In den kahlen Wäldern singen die Vögel und in ihren Schnäbeln tragen sie geschäftig Gräser und Halme für den Bau ihrer Nester herbei. So beginnt hier der Frühling: doch bevor die Lerche sich in die Lüfte schwingt, um ihre jauchzende Melodie zu trillern, wird noch ein langer Monat vergehen. Aber dann, Signora, dann ist diese raue Natur schön, von jugendfrischer, nach Märzveilchen und Heckenrosen duftender Schönheit und mit dem herben Aroma der Nadelwälder. Und zu dieser Zeit macht sich meine Seele einsam und allein auf, das Wesen und die Wirkung der Schönheit zu erkunden, derweil mein Auge sich in die Betrachtung des blauen Himmels vertieft und sich alsdann auf die unberührten schneebedeckten Gipfel hinabsenkt; es sieht Weiss und fühlt Blau, gleitet endlich hinab zum Grau der Felsen und ruht schliesslich aus im Grün, das mich umgibt.
Ich grüsse Sie und bleibe Ihr ergebenster Freund
G. Segantini

Aus einem Brief an Vittorio Pica
4. November 1897
...Seit mehr als 14 Jahren studiere ich in der Natur des Hochgebirges die Akkorde einer alpinen Schöpfung mit Tönen und Farben, die die verschiedenen Harmonien des Hochgebirges enthält und sie innerlich in eine grosse Einheit zusammenfasst. Nur wer wie ich Monate hindurch hier oben auf den lichtgebadeten Triften der Alpenwelt gelebt hat, in den azurblauen Tagen des Frühlings, wo ich den Stimmen lauschte, die aus den Tälern herausdrangen, und den undeutlichen schwachen Tonharmonien, die von fernher der Wind herübertrug, um uns mit heiligem Schweigen zu erfüllen vor der Unermesslichkeit des blauen Weltenraumes, den am Horizont Ketten felsiger Berge abschliessen und schneeige Gletscher, nur der vermag der hohen künstlerischen Bedeutung dieser Farbenklänge inne zu werden. Immer empfand ich, welchen Teil meines Denkens diese harmonischen Gebilde mit Linien, Farben und Tönen ausmachten und wie die Seele die ihrer Herr ist, und die Seele des Beobachters, des Lauschenden eine Einheit sind, die im gegenseitigen Verständnis wächst, um schliesslich im Harmonie und Sinn schaffenden Lichte aufzugehen, was die ewige Harmonie der Alpenwelt bildet. Ich war immer bemüht, diese Empfindungen auf meine Gemälde zu übertragen, aber da nur ganz Wenige sie verstehen, so glaube ich, dass unsere Kunst unvollkommen ist, immer nur Einzelheiten der Schönheit wiedergibt und nicht die gesamte harmonische und lebendige Schönheit, die der Natur Leben spendet.

Eugenio Montale (1896-1981)

Aus St. Moritz
Segantini ist der “genius loci” dieser Berge... er hat der Malerei das Geistigen hinzugefügt, so wie man eine Franse an ein Kleid fügt; er glaubte, dass die Malerei den anderen Künste - der Musik, der Poesie - nacheifern solle oder gar müsse, um so ihre natürlichen Grenzen zu überwinden.

Gottardo Segantini (1882-1974)

In Erinnerung an Giovanni Giacometti

Es war der 29. September, der Tag neigte sich zum Ende. Auf allen Bergen des Engadins lag eine Haube aus frischgefallenem Schnee: der Himmel hatte sich aufgeklärt und ein letzter Hauch von Wind wehte. Von Pontresina bis Sils war das Todesgeläut erklungen und nun war es die Glocke von Maloja, die klagend ihre silbrige Stimme im totenstillen, weiten Umkreis der Berge ertönen liess.

Der Trauerzug hat den See hinter sich gelassen und biegt jetzt bei Capolago ab, um ins Dorf einzuziehen. Von dieser Kurve aus sehe ich die Gestalt von Giovanni Giacometti in den sumpfigen Wiesen am Berghang stehen. Er weint. Der Leichenwagen mit dem Leichnam von Giovanni Segantini fährt an ihm vorbei, gefolgt von dem Wagen, in dem ich zusammen mit meiner Mutter und meinen Brüdern sitze, aber die bärtige, rothaarige Gestalt bleibt bewegungslos, in Trauer versunken, stehen und weint.

Alfons Tuor (1871-1904)

Sagt mir liebe Sterne
Am Firmament
Warum leben wir nur
Einen einzigen Moment?

Gian Fadri Caderas (1830-1891)

Grabstätte, in dieser Höhe gelegen,
bescheint von der Sonne reinem Licht
hast mir nie die gleiche Traurigkeit gegeben,
von der ein Friedhof sonst immer spricht.

Giovanni Giacometti (1867-1933)

Es sind meine Bilder, die über meine Kunst Auskunft geben...

Der Pinsel, die Farben sind die einzigen mir vertrauten Mittel, um mich auszudrücken. Sie sind die getreuen Interpreten meiner Gedanken, meiner Träume, meines Lebens. Mein Leben ist meine Kunst und meine Kunst ist mein Leben. Dieses kleine Stück Erde, umschlossen vom engen Kreis der Berge, ist mein Universum. Hier bin ich geboren, hier beflügelte sich meine Phantasie, hier berauschten sich meine Augen an den ersten Strahlen der Sonne. Aus den Grosstädten, wo die Meisterwerke der grossen Meister mir die göttliche Tugend der Kunst enthüllten, bin ich in diesen uralten Kreis zurückgekehrt. Hier lerne ich, gleich einer Vasalin, den Funken, den die gütige Natur in meiner Seele entzündet hat, weiterglimmen zu lassen, damit er mein Werk erhelle und erwärme.

Peter Lippert (1879-1936)

Aus dem Engadin: Briefe zum Frohmachen

Ich habe eine neue Fähigkeit der Augen entdeckt. Ich habe entdeckt, dass ich zuweilen den See von Silvaplana oder den Silsersee mit den Augen liebkosen möchte, so wie man liebkosend mit den Fingern über weichen, feinen Samt streichelt, so halte ich die Augen liebkosend an diese Seenplatte, aus der Ferne natürlich, wie sich das bei Augen von selbst versteht, die so in die Ferne langen können. Wenn ich diese Seen von einer ganz bestimmten Höhe aus und mit einer ganz bestimmten Färbung sehe, dann geht es mir so: Dann lege ich meine Augen zärtlich an ihre glänzende, von inwendigem Licht leuchtende, über einer lichterfüllten Tiefe liegende Fläche. Und eine Welle von Zärtlichkeit durchflutet mich.

Marcel Proust (1871-1922)

Freuden und Tage

Wir haben uns geliebt in einem verlorenen Dorf im Engadin dessen Namen von doppelt süssem Klang war: der Traum deutscher Laute erstarb in der Wollust italienischer Silben. Unweit bespülten drei Seen von nie gesehenem Grün Tannenwälder, Gletscher und Bergspitzen schlossen den Horizont. Abends vervielfachte sich in der Tiefe der hintereinander liegenden Ebenen die Sanftheit der Lichttöne. Werden wir je die Spaziergänge am See von Sils-Maria vergessen, als der Nachmittag endete, um sechs Uhr? Die Lärchen, von so schwarzer Klarheit, wenn sie sich vom blendenden Schnee abheben, streckten dem blassblauen, beinahe malvenfarbenen Wasser ihre in zartem Grün leuchtenden Äste entgegen...

In jenem Jahr haben wir uns nicht gesprochen, und ich hatte dich sogar aus den Augen verloren. Aber wie sehr haben wir uns dann in Engadin geliebt. Nie

konnte ich genug von dir bekommen, nie liess ich dich allein zu Haus. Du begleitetest mich auf meinen Spaziergängen, du assest an meinem Tisch, schliefst in meinem Bett, träumtest in meiner Seele. Eines Tages - ist es möglich, dass ein sicherer Instinkt als geheimnisvoller Bote dich nicht benachrichtigt hat von diesen Kindereien, in die du so sehr miteinbezogen warst, die du miterlebt hast, so sehr hattest du in mir eine leibhaftige Gegenwart, eine Realpräsenz - eines Tages (wir hatten beide noch nie Italien gesehen) waren wir von dem, was uns von Alp Grüm gesagt wurde, wie geblendet: "Von dort aus sieht man Italien." Wir brachen nach Alp Grüm auf und stellten uns vor, im Schauspiel, das sich zu Füssen des Berges ausbreiten werde, müsse dort, wo Italien beginnt, die wirkliche und harte Landschaft mit einem Mal aufhören, und es müsse in traumhafter Tiefe ein völlig blaues Tal sich öffnen. Unterwegs bedachten wir, dass eine Grenze den Boden nicht verändert und dass auch dann, wenn er sich verändert, dies zu unmerklich geschähe, als dass wir es einfach so, mit einem Blick, feststellen könnten. Ein wenig enttäuscht lachten wir dennoch darüber, dass wir eben noch so kindisch gewesen waren.
Als wir aber auf dem Gipfel angelangt waren, standen wir wie geblendet. Unsere kindliche Vorstellung lag verwirklicht vor uns. Uns zur Seite schimmerten Gletscher. Zu unseren Füssen durchzogen reissende Bergbäche eine wilde Engadiner Landschaft von dunklem Grün. Dann ein geheimnisvoll anmutender Hügelzug; und dahinter malvenfarbene Hänge, die sich bald öffneten, bald wieder schlossen, vor einer wahrhaft blauen Gegend, einer schimmernden Strasse auf Italien zu. Die Namen waren nicht mehr die gleichen; sie standen alsbald mit der neuen Lieblichkeit in Einklang. Man zeigte uns den Lago di Poschiavo, den Pizzo di Verona, die Val Viola. Danach kamen wir in eine ausserordentlich wilde und verlassene Gegend, wo die Trostlosigkeit der Natur und die Gewissheit, dort für alle unerreichbar zu sein, und auch unsichtbar, unbesiegbar, die Lust, sich dort zu lieben, bis zur Ekstase gesteigert hätte.

Paganino Gaudenzio (1595-1649)

Poschiavo
Dort wo der Pass den Blick auf das rhätische Hochgebirge enthüllt
und die Gipfel immer höher und höher in den Himmel ragen,
Dort wo die fruchtbaren Acker die Kälte des

Nordens besiegen
Und der schöne See sich gen Westen, nach Italien wendet,
Ist es nicht schwer, das bescheidene Tal von Poschiavo zu finden,
Das sogar von der Natur selbst durch hohe Gipfel beschützt wird.
Hier, wo die Luft so heilsam ist, habe ich das Licht der Welt erblickt.
Hier habe ich als Knabe gespielt und lesen gelernt;
Deshalb will ich hier mein zukünftiges Leben verbringen
Und nirgends anders meine letzten Jahre leben;
Diese Erde ist karg und rau, aber sie ist mir lieb
Weil sie meine Heimat ist! Wer will schon ohne Heimat leben?

Hermann Hesse (1877-1962)

Beschreibungen einer Landschaft, Schweizer Miniaturen

Gesehen habe ich viele Landschaften und gefallen haben mir beinahe alle, aber zu schicksalhaft mir zugedachten, mich tief und nachhaltig ansprechenden, allmählich zu kleinen zweiten Heimatländern aufblühenden wurden mir ganz wenige, und wohl die schönste, am stärksten auf mich wirkende von diesen Landschaften ist das obere Engadin.

Jakob Christoph Heer (1859-1925)

Der König der Bernina

Unschlüssig und gottverlassen liegen die Wasser in der furchtbaren Öde des nackten Gesteins und werfen zitternde Ringe um die Blöcke, die aus ihren Fluten ragen. Der eine See ist hell, der andere dunkel, sie heissen der Weisse und der Schwarze, aus dem hellen fliesst ein Bach und seine Wellen ruhen, wenn sie genug gewandert sind, im Schwarzen Meer, aus dem Schwarzen See strömt ein Bach und seine Wasser gehen in die blaue Adria. Doch sonderbar! Ein Lüftchen weht über den Pass und sein Säuseln genügt, dass die Fluten des einen Sees unter den Platten des alten Schicksalswegs in die Fluten des anderen Sees schlagen, und die ins Schwarze Meer hätten wandern sollen, gehen zur Adria, und die Adriawasser fluten wegen eines Windhauches ins Schwarze Meer. Wenn der Tag noch so hell und sonnig über die Öde der Passhöhe zieht, die Berge wie Lichter stehen, so liegt doch etwas wie geheimnisvolle Schicksalsstimmung über den Seen, denn so leicht wie hier oben Meer und Meer sich scheiden, scheiden sich Glück und Unglück.

Gottfried Benn (1866-1956)

Statische Gedichte
In den Abend rannen die Stunden
Er lauschte im Abhangslicht
Ihre Strophe: "alle verwunden,
die letzte bricht..."

Das war zu Ende gelesen.
Doch wer die Stunde denkt:
Ihre Welle, ihr Spiel, ihr Wesen,
der hat die Stunde gelenkt -

Ein Alles-zum-Besten-Nenner,
Den trifft die Stunde nicht,
ein solcher Schattenkenner
der trinkt das Parzenlicht.

Es war kein Schnee, doch Leuchten,
das hoch herab geschah,
es war kein Tod, doch deuchten
sich alle todesnah -

es war so weiss, kein Bitten
durchdrang mehr das Opal,
ein ungeheures: Gelitten
stand über diesem Tal.

Arthur Caflish (1893-1971)

Alpensymphonie
Auf dem Gipfel, vom Wind gepeitscht
Wie ein vom Hunger getriebener Wolf
Löst sich mit rasendem Schwung
Vom Grat die wütende Lawine
Sie schleudert sich heulend vom Berg
Und bricht sich mit Tosen ihre Bahn
Alles niederreissend, was ihr den Weg verstellt
Stürmt sie gewaltig ins Tal.

Hermann Hesse (1877-1963)

Beschreibung einer Landschaft, Schweizer Miniaturen
Geist der Berge geht mit, der grosse Tröster-
Und manchesmal, wenn ich im Herzen litt,
Ging er auf Gletscherwegen leise mit
Und legte gütig seine kühle Hand
Auf meine Stirn, bis ich Frieden fand.

Jon Pult (1911)

Der Pfad ist steil
Halt ein, verweil.
Bedenk, dass die Hast der Welt
Niemanden zufrieden stellt!

Andri Peer (1921-1985)

Ein Steg
Eine Hütte
Noch einige Schritte
Auf dem begangenen Weg
Willst du
zum Gipfel
gelangen
Musst Du's
von nun an
alleine anfangen

Richard Strauss (1864-1949)

Briefwechsel mit Willi Schuh
Pontresina, 14. Juni 1947
Wir sind gestern in Zarthustra-Nebel gehüllt bei strömendem Regen glücklich hier angekommen... Es gibt nur ein Engadin auf der ganzen Welt, wir sind hier restlos begeistert und schlürfen die Luft der Gämsen wie französischen Champagner. Kein Wunder, dass Nietzsche hier übergeschnappt ist.

Duri Gaudenz (1929)

Tarasp
Die Glucke da unten, die ihre Brut bemuttert
Ist das Schloss von Tarasp mit seinen umliegenden Weilern.

Sylvia Andrea (1849-1935)

Faustine

Der Tag lag noch in Dämmerung eingehüllt, unbestimmt in Farben und Formen wie ein Märchenbild. Nur die Höhen tauchten in scharfen Umrissen ihre zerrissenen Kämme und Kronen oder ihre massigen Kuppen in die lichte Bläue des Himmels. Die ungeheueren Formen, durch die Farbentöne des Tages noch nicht gemildert, zeigten sich in ihrer ganzen Schauerlichkeit... Und das Licht kam. Zuerst schoss es wie ein glühender Pfeil über den Bergesrand hervor, dann ergoss es sich in breiten Wellen über Berge und Hügel und erreichte das harrende Tal. Auf einmal kam Leben und Bewegung in die Tiefe zu ihren Füssen. Die Vögel hoben tausendstimmigen Gesang an, Villen und Dörfer tauchten aus der dämmerhaften Verschwommenheit empor. Die Morgenröte, an welcher die Himmelskönigin sich emporrang, warf tausend wechselnde Reflexe auf die Oberfläche des St. Moritzersees, bald wob sie ein goldenes Netz darüber, bald rollte sie feurige Räder durch das bewegte Wasser, bald malte sie einen Kranz von ungeheueren Rosen darauf und verwischte ihn gleich wieder mit einem nachstürmenden Funkenregen. In der Runde standen die Berge mit Purpurmänteln um die Schultern und Feuerkronen auf den Gletscherstirnen.

Stefan Zweig (1881-1942)

Bei den Sorglosen

St. Moritz, wie zauberhaft leuchtet sie in diesen Sonnenwintertagen! Eine Perlmuschel mit geschliffenen Rändern, zackt sich die weisse Mulde gegen das durchsichtige Blau: Aufgehoben aus der Tiefe in die Firne, liegt dieses weiche Tal noch unter unendlichem Himmel. Denn so rein ist hier die durchsonnte Luft, dass alles noch ferner scheint und die Sterne nachts weiss niederbrennen aus Unabsehbarkeit. Und dieses Weiss in der Wintersonne, das allgegenwärtige Weiss, das makellose, unirdische Weiss des Hochlandschnees, ist von einer Farbe, wie sie von allen Dingen der Welt nur die Edelsteine haben, die ihre Farben nicht still tragen wie ein Kleid, sondern aus sich brennen, gleichsam als ihre Seele. Man kann es nicht schildern. Man kann es auch nicht malen. Die Segantini-Bilder sind schön, bis man diese Wirklichkeit kennt, hier aber bleiben sie arm. Sie verlieren ihren Glanz so wie das Wort Winter hier seine Kraft. Alles Böse, Drohende,

Harte, das in dem spitzen Vokal, dem starren Konsonanten schwingt, ist hier fort: Winter, das ist hier Glanz, Sonne, Klarheit, Licht, Heiterkeit und Reinheit. Etwas Funkelndes wie der Diamant und doch mild zu fassen, etwas Reines wie Morgenlicht und doch von grosser Kraft. Und etwas, das in grosser Stille ruht und ganz ewig bliebe, störten es die Menschen nicht.

Eugenio Montale (1896-1981)

Aus St. Moritz
Es ist schwierig, einem jungen Menschen zu erklären, was St. Moritz, und das Engadin im allgemeinen für kultivierte Menschen vor zwanzig, dreizig Jahren bedeutete. Wir sind hier in einer der Hauptstädte eines Reiches, das im Untergang begriffen ist: ein Reich, das seine Würdenträger gehabt hat, im guten wie im schlechten Sinne, Persönlichkeiten wie Nietzsche und Segantini, aber auch solche wie Seraos und Luciano Zuccolis sie lieben... Das Problem ist, dass hinter den Menschen, die St. Moritz frequentierten, eine Weltanschauung (sicherlich Abglanz einer wirtschaftlichen Gegebenheit) stand, die heute am Verschwinden ist, und so fehlen diesem einzigartigen Engadiner Dorf heute zwar nicht die gelegentlichen, sondern seine typischsten und natürlichsten Gäste: diejenigen, für die das Engadin hauptsächlich eine Sache der Geisteshaltung war...
Es ist zweifelhaft, ob sich eine neue Kundschaft bilden wird. Wer ins Engadin kommt, war hier schon mit seinem Vater, hat sich innerhalb der Familie an der Krankheit "Schweiz"angesteckt, so wie viele früher an "Italien" erkrankten; wer hierher kommt, gehört in gewisser Weise noch zur alten Welt. So gibt es hier im Winter unbesiegbare Skeletonmeister, die sich Kopf vorwärts, den Bauch flach an den Schlitten gepresst, mit einer Geschwindigkeit von mehr als hundert Stundenkilometern ins Tal stürzen, doch ist der Wettkampf einmal beendet, so stellen sie sich als das heraus, was sie in Wirklichkeit sind: Männer von fünfzig, sechzig Jahren, die den Rest des Tages Hände schüttelnd, ein mechanisches "how do you do" wiederholend, zwischen dem einen oder anderen Cocktail verbringen; ältere, verknitterte Menschen, die ihre Kinder ebenfalls hierher schicken werden - vorausgesetzt sie haben welche (was sehr zweifelhaft ist) - die jedoch alleine nicht verhindern werden können, dass die prächtigen "palaces" zwischen Maloja und Pontresina allmählich immer vereinzelter, immer

seltener sein werden...
Engadinerluft: diese trockene, elektrische, erregende, dünne Luft..., die die grosse, eigentliche Wirklichkeit des Engadins ist und die keine Krise des Tourismus, keine wirtschaftliche und soziale Zufälligkeit auf Dauer zerstören kann... An keinem anderen Ort kann man dessen Geschichte, dessen Folklore und dessen Alltagsleben vergessen, aber auf dem Maloja, in Sils und St. Moritz kann die Flucht aus den lästigsten Grenzen der menschlichen und irdischen Körperlichkeit vollkommen sein; hier kann man das Leben einatmen, jegliche Bindung fallen lassen und sogar die eigene, wahre, konkrete und festgelegte Maske vergessen.

Thomas Mann (1875-1955)

Ich wiederhole immer: das Oberengadin ist der schönste Aufenthalt der Welt. Nicht leicht spreche ich von Glück, aber ich glaube beinahe, ich bin glücklich hier.

Hermann Hesse (1877-1962)

Im Auto über den Julierpass
Stein-Oede, Trümmerfelder tot,
Dünnfarbige Algen grün, grau, rot,
Felsgipfel steil ins Graue drängend,
Gewölk die Grate überhängend,
Kaltfeindlich scharf der mürrische Wind,
Moorwasserlachen stumm und blind,
An bleichen Wänden frische Wunden
Blutbraun und schorfig, felsgeschunden.
Müd aber streng und scharfgeschnitten
Zieht lang der Strasse Band inmitten,
Einst Heer- und Pilgerweg, und jetzt
Von schnurrenden Maschinen abgewetzt
Mit Menschen drin, die alles hätten,
Sich aus dem Lärm ins Sommerglück zu retten,
Nur keine Zeit, nur keine Zeit.
Wir hasten mit, es ist noch weit
Bis Bivio, bis Chur, Paris, Berlin
Wir hasten auf der hageren Strasse hin,
Wir sehen grat-entlang die Wolken ziehn,
Das Steingeröll mit blinden Wasserlachen;
Die graue Kühle will uns schauern machen,
Doch die Maschine reisst uns ohne Gnade
Hinan, hinab, hinweg. Heroisch hart

Ins Grau empor die Steinwelt starrt.
Wir fliehen, fliehen und wir fühlen: Schade...

Andrea Bezzola (1840-1897)

Mein schönes Tal, mein Engadin,
Adieu, leb wohl, auf Wiedersehn
Adieu, Allegra frohe Jugendzeit
Ihr lieben Gefährten vieler Freuden.

Primavera a Silvaplana, 1983

Nebbie sul lago del Maloja, 1984

Val Fedoz, 1984

Sils-Baselgia: dopo il temporale, 1986

Celerina, 1992

Tramonto a San Gian, 1988

Sorgive a Samaden, 1984

Palü e Val Roseg, 1981

Val Roseg, 1992

Crast Agüzza, Bernina, Morteratsch, 1992

Lago Bianco e Lago Nero, 1994

Presso il Passo Bernina, 1989

Palü Bellavista, 1988

Conrad Ferdinand Meyer (1825-1898)

Jörg Jenatsch, Una storia Grigionese

Il sole di mezzodì splendeva sul passo dello Julier, nudo d'alberi, circondato di vette rocciose, nel paese dei Grigioni. Sotto i suoi raggi, sfreccianti giù a perpendicolo, le pareti rocciose ardevano e scintillavano... In mezzo al ripiano del valico, a destra e a sinistra della mulattiera, sorgevano due colonne mozze, che forse da oltre un millennio sfidano il tempo. Al sommo d'una di loro le intemperie avevano scavato una specie di bacino, la pioggia l'aveva riempito; un uccello saltellava sull'orlo, sorseggiando un sorso di quell'acqua celeste...

Waser abbassò il suo cappello sulla fronte, affibbiò più strettamente la bisaccia, e, accorciando ove poteva le ampie giravolte della mulattiera sul pendio divenuto ripido, scese in fretta verso valle. Dapprima scavalcò radici di cèmbri calcinati dal fulmine, curiosamente attorcigliati e duri alvei di torrenti senz'acqua; poi trovò erba tenera sotto i piedi, ed improvvisamente vide d'innanzi a sé l'Engadina, tutta verde e vellutata, con la fila dei suoi laghi posati là, come pietre preziose, presso l'Inn lampeggiante.

Friedrich Nietzsche (1844-1900)

Il viandante e la sua ombra
Aphorisma 295. Et in Arcadia ego.

Guardai in basso, su colline ondose, verso un lago verde-latte, attraverso abeti e pini gravi di vecchiaia; schegge rocciose d'ogni specie intorno a me, il terreno colorato di fiori e d'erbe. Un armento si muoveva, si allungava e si spargeva davanti a me; mucche isolate e gruppi più lontani, nella più livida luce serale, accanto alle conifere; altre più vicine, più scure; tutto nella pace e nella sazietà della sera. L'orologio segnava all'incirca le cinque e mezza. Il toro dell'armento era entrato nel bianco ruscello spumeggiante e procedeva lentamente, resistendo e abbandonandosi al suo precipitoso corso; cosi si procurava un suo rabbioso piacere. Due creature d'un bruno cupo, d'origine bergamasca, erano i pastori: la ragazza era vestita quasi da ragazzo. A sinistra dirupi e campi di neve su vaste zone boschive, a destra due montuose punte ghiacciate, alte sopra di me, nuotavano nel velo del vapore del sole - tutto grande, silenzioso e chiaro. Tanta bellezza faceva rabbrividire e adorare tacitamente l'attimo della sua rivelazione; involontariamente, come se non ci fosse stato niente di più naturale, ci si immagina in questo puro e livido mondo di luce (che non aveva nulla dell'anelito o dell'attesa, nulla che guardasse in avanti o all'indietro) eroi greci; bisognava sentire come Poussin e i suoi allievi: in modo eroico e idillico insieme.

Il viandante e la sua ombra
Aphorisma 338. Rassomiglianza della natura.
In molti paesaggi di Natura scopriamo di nuovo noi stessi, con piacevole brivido; è la più bella rassomiglianza. Come deve essere felice colui che può avere quel sentimento precisamente qui, in quest'aria d'ottobre costante e soleggiata, in questo birichino e felice scherzare del vento da mattina a sera, in questa purissima chiarità e mitissimo freddo, in tutto il leggiadro e serio carattere collinoso, lacustre e selvoso di quest'altopiano, che si è accampato senza paura accanto alle minacce delle nevi eterne, qui, dove Italia e Finlandia si sono strette in alleanza e dove sembra esserci la dimora di tutti i toni argentei della natura: come dev'essere felice colui che può dire: ci sono certamente nella natura cose più grandi e belle, ma questo è per me intima e familiare, consanguinea, anzi ancora di più.

Jean Cocteau (1899-1963)

Requiem
Ecco il gelo dell'Engadina
I suoi colossi di ghiaccio e di fuoco
Tutti in fila mi accolgono in piedi
E davanti alla casa sacra
Bassa sotto la gualdrappa di neve
M'inginocchio all'ingresso.

E mangio un poco della sua neve
Poiché l'uomo i cui baffi misteriosi
Nessuno seppe mai cosa celebrassero
Neppure Paul Ré, neppure Lou
Venne a quest'uscio, Dioniso divino
A smaltire il tuo vino.

Nietzsche, stamattina voglio lasciare
L'orma delle mie ginocchia
Sul cuscino di velluto bianco
Che mi porge le chiavi della tua porta.

Theodor W. Adorno (1903-1969)

Arva Aesthetica
Da Sils Maria
L'inespressività (delle marmotte) si accorda con quella del paesaggio. Da cui non spira alcun mediocre umanitarismo. Ciò gli conferisce quel pathos della distanza caro a Nietzsche, che qui si rifugiò. Le morene, caratteristiche di questo paesaggio, ricordano del resto le cataste di scorie industriali, i mucchi di detriti degli impianti minerari. Le une e gli altri - le cicatrici della civiltà e gli spazi innominati oltre i limiti della vegetazione arborea - non inducono l'immagine di una natura per sua destinazione consolatrice, fonte di calore per gli uomini; qui traspare già l'aspetto del cosmo. L'immagine corrente della natura è limitata, borghesemente angusta, calibrata sulla zona ridotta in cui si sviluppa storicamente la vita familiare; il viottolo di campagna è filosofia della cultura. Dove il dominio della natura distrugge quell'immagine animata e ingannevole, la natura pare avvicinarsi alla desolazione trascendente dello spazio. La superiorità del paesaggio dell'Engadina grazie alla sua verità senza illusioni, su quel piccolo borghese, è bilanciata dal suo imperialismo, dall'intesa con la morte...
Le storie secondo cui nella cantina dell'albergo Edelweiss o dell'Alpenrose giacerebbero mucchi di manoscritti polverosi di Nietzsche, sono certamente false. Se qualcosa di simile corrispondesse a verità, gli studiosi li avrebbero scovati da tempo. Ma bisogna pur lasciar perdere la speranza che quel materiale inedito consenta di comporre la controversia tra Lama e Schlechta. In compenso qualche anno fa venni a sapere, che il direttore dell'opulento negozio di alimentari locale, il vecchio signor Zuan, aveva ancora conosciuto Nietzsche. Herbert Marcuse ed io andammo a trovarlo e fummo amabilmente ricevuti in una specie di ufficio privato. Effettivamente il signor Zuan ricordava qualcosa.
Richiesto di dirci maggiori particolari, raccontò che Nietzsche soleva portare, sia con la pioggia sia col bel tempo, un parasole rosso - è probabile che sperasse evitare in tal modo i suoi mali di testa. Una banda di ragazzi, di cui anche il signor Zuan aveva fatto parte, si divertiva a mettere dei sassolini nelle pieghe dell'ombrello chiuso, di modo che appena veniva aperto cadessero sul suo proprietario. Egli avrebbe rincorso i ragazzi minacciandoli con l'ombrello alzato, senza però mai riuscire ad acchiapparli. Pensammo in che difficile situazione dovesse essersi trovato quell'uomo sofferente che inseguiva invano i suoi persecutori e alla fine, poiché rappre-

sentavano la vita contro lo spirito, magari era anche costretto a dar loro ragione; se l'esperienza della reale mancanza di pietà non l'abbia fatto dubitare di qualche filosofema. Altri particolari il signor Zuan non seppe fornirci, sarebbe però stato ben felice di riferirci la visita della regina Vittoria, e rimase leggermente deluso dal fatto che non mostrassimo tanto interesse. Nel frattempo il signor Zuan, ultranovantenne, è morto.

Friedrich Nietzsche (1844-1900)

La gaia scienza
Sils Maria
Qui me ne stavo e attendevo, nulla attendevo,
Di là dal bene e dal male, or della luce
Godendo, or dell'ombra, tutto semplice gioco,
E lago e meriggio, tutto tempo senza meta.

E d'improvviso, amica! Ecco che l'Uno divenne Due -
E Zarathustra mi passò vicino...

Hermann Hesse (1877-1963)

Descrizione di un paesaggio, Miniature svizzere
Un'aria di montagna, incredibilmente vigorosa, fredda, acerba dona a tutti i colori una freschezza di smalto, segnatamente l'acqua dei laghi ha lo splendore e la tonalità chiara del vetro come nessun'altra valle in Svizzera. Un bel sentiero costeggia il lago oltre Silvaplana, verso Sils-Maria. E da qui si vedono al di là del secondo lago le montagne e le contrade meravigliosamente ripide, e all'orizzonte ove si stende, quale porta larga e maestosa verso il sud, il vecchio Maloja, che nasconde la Bregalia e la meravigliosa strada che conduce in Italia.

Stefan Zweig (1881-1942)

Ebbrezza della Metamorfosi
Finalmente, sul belvedere, l'autista ferma la macchina. "Maloja", annuncia il generale Elkins aiutandola a scendere, sempre con la stessa cortesia rispettosa. La vista nella valle è magnifica; la strada corre giù a precipizio, artisticamente tortuosa, come un torrente. Qui si accorge che la montagna fa fatica, che le manca la forza per ergersi verso cime e ghiacciai; di

colpo si getta in una valle lontana, immensa. “Laggiù comincia la pianura, comincia l’Italia”. “L’Italia”, risponde Christina, sorpresa, “l’Italia è così vicina, veramente così vicina?”.

Giovanni Segantini (1858-1899)

Lettera a Anna Radium Zuccai (Neera)
Savognin 8-4-93
Gentilissima Signora Neera,
Li ho letti i suoi Racconti. Belli: bellissimi per il mio gusto li ultimi due.
La ringrazio ho Signora, di ricordare un sepolto vivo. Di neve ne è caduta quest’inverno in grande abbondanza: ma ormai la divina e per qui sempre tarda Primavera è arrivata e anche quest’anno si è compiaciuta di battere la sua magica verga sul sepolcro della natura, e la natura ubbidiente alle sue leggi si è scossa: la neve e il ghiaccio che la ricopriva ando a fiume, lasciando a nudo la livida superficie del terreno, che si decompone per dar forza a nuova vita. E gia si vede i fili derba dun verde tenero alzare i piccoli stecchi dissecati o spuntare infra la peluria muffosa, e qua e la lumile margherita da locchio giallo e dai candidi merletti. E nei boschi scheletriti li uccelli cantano, e allegramente lavorano a portare nel becco fili e paliuzze, per costruire il nido. Ecco come qui comincia la primavera: e prima che la lodola sinnalza nello spazio a gorghegiare la sua estasiante melodia passera ancora un lungo mese. Ma alora o signora questa selvaggia natura è bella, bella nella sua giovinezza profumata di mammole e di rose canine, e per gli aromi forti dei boschi resinosi. E in questo tempo che la mia anima sinnalza solitaria a scrutare l’estetica, intanto che l’occhio si assorbe nella contemplazione azzurra del celo e poi si abbassa nei candori delle cime nevose. Vede il bianco e sente lazzurro poi discende al grigio delle rocce, per riposarsi nel verde che lo circonda.
La saluto e mi creda suo devotissimo amico.
(Trascrizione senza alcuna correzione)

Da una lettera a Vittorio Pica
4 novembre 1897
...sono più di 14 anni che studio nella natura alpina gli accordi di un’opera alpina composta di suoni e di colori, che contenga in se le varie armonie dell’alta montagna e le compendii in un’unica intera. Solo chi, come me, ha vissuto interi mesi al di sopra degli alti luminosi pascoli alpini, nei giorni azzurri della primavera, ascoltando le voci che salgono dalle valli,

le indistinte armonie affievolite di suoni lontani portati dai venti, che fanno intorno a noi un silenzio armonioso stendentesi in alto nell'infinito spazio azzurro, chiuso all'orizzonte dalle catene dei monti rocciosi e dai nevosi ghiacciai, può sentire e comprendere l'alto significato artistico di questi accordi. Io pensai sempre quanta parte avessero nel mio spirito quelle armonie di forme, di linee, di colori e di suoni, e come l'anima che li governa e quella che li osserva e li ascolta siano una che nella comprensione si completa e si integra in un senso di luce che armonizza ed è armonia costante dell'alta montagna. Io mi sforzai sempre di comporre, in parte, questo senso nelle mie tele; ma poiché pochissimi lo sentono e lo comprendono, per circostanze varie, io credo che l'arte nostra sia incompleta e che rappresenti solo dettagli di bellezza e non l'intera bellezza armonica che vive e da vita alla natura.
(Trascrizione senza alcuna correzione)

Eugenio Montale (1896-1981)

Ventidue prose elvetiche
Da St. Moritz
Segantini è il "genius loci" di queste montagne... ha aggiunto lo spirito alla pittura come si aggiunge una frangia ad un vestito; ha creduto che la pittura potesse o dovesse emulare altre arti - la musica, la poesia - sconfinando dai suoi limiti naturali.

Gottardo Segantini (1882-1974)

In memoria di Giovanni Giacometti
Eravamo alli 29 settembre 1899; la giornata volgeva al suo declino. Tutte le montagne d'Engadina erano incappucciate dalla neve caduta di fresco: nel cielo che si rasserenava, era un ultimo fremito di vento. Da Pontresina a Sils le campane avevano suonato a morte; ora era la voce argentea della campana di Maloggia che si doleva del silenzio mortale dell'ampia cerchia montana. Abbandonando il lago, il convoglio funebre svoltava presso Capolago per entrare in paese. A questa svolta io vedo, nell'acquitrino dei prati a monte, la figura di Giovanni Giacometti, che piange. Passa il carro funebre colla salma di Giovanni Segantini e

passa la vettura in cui seggo con mia madre e con i miei fratelli, ma la figura dalla barba e dai capelli rossi, resta immobile nel suo dolore, e piange.

Alfons Tuor (1871-1904)

Ditemi care stelle
Del firmamento,
perché viviamo
solo un momento?

Gian Fadri Caderas (1830-1891)

Cimitero posato a quest'altezza
Dalla pura luce del sole illuminato,
tu non m'inspiri quella tristezza
che un camposanto m'ha sempre ispirato

Giovanni Giacometti (1867-1933)

Maloggia, 5 settembre 1919
Dell'arte mia parlano i miei dipinti.

...E il pennello, sono i colori i mezzi unici familiari per esprimermi. Sono essi i fedeli interpreti dei miei pensieri, dei miei sogni, della mia vita. La mia vita è l'arte mia e l'arte mia è la mia vita. Questo piccolo tratto di terra rinchiuso nel breve cerchio delle montagne, è per me l'universo. Qui io nacqui, qui la mia fantasia prese il volo, qui gli occhi miei si inebriarono ai primi raggi del sole. Dalle metropoli dove i capolavori dei grandi maestri mi rivelarono le divine virtù dell'arte ritornai in questo antico cerchio. Qui come una vestale mi studiai di mantenere viva quella scintilla che la natura benigna aveva acceso nell'animo mio, e con quella illuminare e riscaldare l'opera mia.

Peter Lippert (1879-1936)

Dall'Engadina: Lettere per rendere allegro
Ho scoperto una nuova capacità degli occhi. Ho scoperto che di tanto in tanto vorrei accarezzare con gli occhi il lago di Silvaplana o il lago di Sils. Allo stesso modo in cui con dolcezza e carezza ci si lascia scorrere le dita sul velluto morbido e setaceo, accarezzo l'altopiano dei laghi - a distanza, com'è naturale per gli occhi che così riescono a toccare la lontananza. Quando osservo quei laghi da una certa

altezza e questi laghi hanno un certo colore, allora mi accade che poso i miei occhi dolcemente sui laghi splendenti e vividi di luce intrinseca che giacciono laggiù nella pianura luminosa. E un'ondata di tenerezza mi travolge.

Marcel Proust (1871-1922)

I Piaceri e i Giorni - Presenza reale

Ci siamo amati in uno sperduto villaggio dell'Engadina dal nome due volte dolce: il sogno delle sonorità tedesche vi andava a morire nella voluttà delle sillabe italiane. Tutt'intorno tre laghi di un verde ignoto lambivano foreste d'abeti. Picchi e ghiacciai chiudevano l'orizzonte. La sera, il sovrapporsi delle prospettive moltiplicava la dolcezza delle luci. Potremo mai dimenticare le passeggiate lungo il lago di Sils-Maria, alle sei, l'ora in cui il pomeriggio finiva? Serenamente oscuri vicino alla neve abbagliante, i larici tendevano verso l'acqua azzurro pallido - quasi violetta - i rami di un verde soave e brillante. Una sera, l'ora ci fu in special modo propizia, il sole, calando, in pochi istanti fece passare l'acqua attraverso tutte le sfumature di colore, le nostre anime attraverso tutte le voluttà...

Lontano dai miei occhi com'eri, quell'anno non ti avevo mai parlato. Ma quanto ci amammo allora in Engadina! Non ne avevo mai abbastanza di te, non ti lasciavo mai a casa. Mi accompagnavi nelle passeggiate, mangiavi alla mia tavola, dormivi nel mio letto, sognavi nella mia anima. E un giorno - un istinto sicuro, un messaggero misterioso, era forse riuscito ad avvertirti delle mie piccole puerilità, delle quali avevi così gran parte, e che tu vivevi, sì veramente vivevi, tanto possedevi in me una "presenza reale"? - un giorno (nessuno dei due aveva mai visto l'Italia) restammo come folgorati da una frase che ci dissero a proposito dell'Alp Grüm: "Da lassù si vede l'Italia". Partimmo per l'Alp Grüm, immaginando che nello spettacolo che si fosse spalancato davanti alla vetta, là dove l'Italia fosse cominciata, sarebbe terminato improvvisamente il paesaggio duro, reale, e si sarebbe dischiusa su fondali di sogno una vallata azzurra. Mentre eravamo in viaggio ci ricordammo che una frontiera non cambia la terra, e che se anche la terra cambiasse, accadrebbe troppo impercettibilmente per accorgersene così, all'improvviso. Un poco delusi, tuttavia ridemmo di noi, della nostra fanciullaggine di qualche istante prima. Ma giungendo in vetta, restammo abbagliati. Davanti agli occhi, reale, ecco la nostra fantasia infantile. Da presso luccicavano i ghiacciai. Ai nostri piedi un selvaggio paesaggio d'Engadina, verde cupo, era percorso da torrenti. Poi, una collina d'un verde misterioso; e più oltre, pendii violetti volta a volta svelavano e nascondevano una vera e propria contrada d'azzurro, uno splendente cammino verso l'Italia. I nomi non erano più gli stessi, e subito s'armonizzavano con quella soavità nuova. Ecco il lago di Poschiavo, il pizzo di Verona, la val di Viola. Passammo poi ad un luogo straordinariamente selvaggio e solitario, dove la desolazione della natura e la certezza d'essere inaccessibili a chicchessia, e d'essere dunque invisibili, invincibili, avrebbe accresciuto fino al delirio la voluttà di amarsi proprio laggiù.

Paganino Gaudenzio (1595-1649)

Poschiavo
Là dove il valico scopre l'alta montagna della Retia
E lentamente i colli vanno innalzando le loro cime al cielo,
dove il fertile campo vince il freddo settentrione
e il bel lago si volge verso l'occidua Italia
non è fatica trovare la valle umile di Poschiavo
che la natura stessa difende con vette elevate.
Qui le balsamiche aure e la prima luce godetti,
qui fanciullo giocai e le facili lettere appresi;
pur qui vorrei trascorrere il tempo della mia vita futura
e non vivere altrove i miei ultimi anni:
aspra è questa mia terra, ma carissima al cuore
perché mia patria! Chi mai vuol esser senza patria?
(traduzione dal latino di Felice Meneghini)

Hermann Hesse (1877-1962)

Descrizione di un paesaggio, Miniature svizzere
Ho visto tanti paesaggi e quasi tutti mi sono piaciuti, ma pochi fra di loro si sono rivelati come riservati a me dal destino, mi hanno commosso così profondamente e in modo così persistente da trasformarsi gradualmente in una piccola seconda patria; e di quei paesaggi è l'Engadina alta che è per me la più bella e la più suggestiva.

Jakob Christoph Heer (1859-1925)

Il re della Bernina
Indecise e desolate giacciano le acque nei dintorni brulli e spaventosi della nuda roccia e muovono delle onde tremolanti intorno ai massi che si ergono sui laghi. Il primo lago è chiaro, l'altro scuro, si chia-

mano Lago Bianco e Lago Nero. Da quello chiaro scorre un ruscello verso il Mar Nero dove le sue onde trovano riposo. Del Lago Nero scorre un ruscello verso l'Adriatico azzurro.
Ma che strano! Un venticello soffia sopra il passo e il suo sussurro basta per fondere, sotto gli strati del vecchio sentiero del destino, le acque dei due laghi. Quelle che sarebbero dovute andare a finire nel Mar Nero scorrono verso l'Adriatico e le acque destinate per l'Adriatico vanno a finire nel Mar Nero. E tutto questo per un alito di vento. Sebbene il giorno sia chiaro e soleggiato sopra l'altura brulla del colle e i monti si ergano come luci, si sparge una misteriosa atmosfera fatale, sospesa nel cielo sopra i laghi, poiché nello stesso modo in cui qui si spartiscono i destini dei mari, qui si dividono fortuna e sfortuna.

Gottfried Benn (1866-1956)

Poesie statiche
Nella sera scorrevano le ore,
lui ascoltava nella luce del monte
il loro canto: "tutte feriscono,
l'ultima uccide..."

Fu l'ultima parola.
Ma chi delle ore pensa:
l'onda, il gioco, l'essenza,
delle ore detiene la guida.

Perché l'ora non tocca
Chi afferma che tutto va bene
conoscitore d'ombre
beve la luce delle Parche.

Non neve, ma scoppio di neve
Era quanto accadeva
E scendeva dell'alto
non era morte, ma tutti
si credevano alla morte vicini -

tanto era il bianco, nessuna
preghiera trapassava l'opale,
un immane: "Si soffre"
era inciso sopra la valle.

Arthur Caflish (1893-1971)

Sinfonia alpina
Sulla vetta, sferzata dal vento,
come un lupo spinto dal digiuno,
si stacca con rombo possente
dalla cresta la rabbiosa valanga.
Si butta urlante giù dal pendio
Aprendosi il varco con fragore,
e distruggendo tutto ciò che incontra
arriva possente fino a valle...

Hermann Hesse (1877-1963)

Quando il mio cuore soffre, lo spirito della Montagna
Gran consolatore, talvolta mi accompagna
Là in alto, sui ghiacciai, e lungo il sentiero
Sento della sua mano in fronte il refrigerio
Posarsi finché in me la pace spazio riguadagna.

Jon Pult (1911)

La strada è ripida,
fermati un momento
la fretta del mondo
non ti può far contento!

Andri Peer (1921-1985)

Un ponticello
Una baita
Ancora un tratto
Sulla via battuta
Poi devi far da te
La rotta,
Sei vuoi
Arrivare
In alto.

Richard Strauss (1864-1949)

Pontresina, 14. Juni 1947
Corrispondenza con Willi Schuh
Siamo arrivati qua ieri sotto una pioggia battente avvolti nella nebbia di Zarathustra - ma felici. Di Engadina al mondo ce n'è una sola; qui stiamo infinitamente incantati e sorseggiamo l'aria delle camozze, come fosse champagne francese. Non ci meraviglia che Nietzsche qui abbia perso la testa.

Duri Gaudenz (1929)

Tarasp
Quella chioccia lassù che cura la sua nidiata
È il castel di Tarasp con le sue sparse frazioni.

Sylvia Andrea (1849-1935)

Faustine
Il giorno era ancora avvolto nella penombra dell'alba, i colori e le forme vaghe come un'immagine di favola. Solo le cime innalzavano le loro creste e vette dentellate o le cupole massicce nell'azzurro terso del cielo. Le forme gigantesche, non ancora attenuate dalle tonalità del giorno, mostravano tutta la loro paurosa enormità... E la luce fu. Dapprima si lanciò come una freccia ardente oltre il bordo delle montagne, poi si gettò in onde larghe sopra monti e colline per raggiungere finalmente la valle meritata. D'un tratto la profondità sotto i suoi piedi si riempì di vita e di movimento. Gli uccelli cominciavano il loro canto di mille voci, ville e villaggi emergevano dai fumi dell'alba. L'aurora montata dal nascente dominatore del cielo spruzzava mille riflessi sullo specchio del lago di St. Moritz. Ora lo ammantava con una rete dorata, ora muoveva le sue ruote ardenti attraverso l'acqua mossa, ora vi dipingeva una corona di immense rose per subito cancellarla con una pioggia impetuosa di scintille. Le montagne tutt'intorno recavano sulle spalle una veste purpurea e una corona di fuoco sulla fronte dei ghiacciai.

Stefan Zweig (1881-1942)

Presso gli spensierati
Quanto risplende ed incanta St. Moritz durante queste giornate invernali colme di sole! La conca bianca

si staglia netta contro l'orizzonte trasparente come una conchiglia dai bordi smerigliati. Elevandosi dalla profondità verso le vette questa dolce vallata giace supina sotto il cielo infinito. L'aria intrisa di sole è così pura che tutto sembra ancora più remoto e le stelle nottetempo brillano ancora più bianche, più immense. Questo bianco del sole invernale, questo bianco onnipresente, impeccabile, quasi metafisico della neve d'alta quota ha un colore paragonabile solo a quello delle pietre preziose che non indossano il loro colore in silenzio, ma brillano di luce propria come se questa fosse la loro anima. Non lo si può descrivere e nemmeno dipingere. I quadri di Segantini sono belli - finché non si conosce questa realtà. Al confronto con un tale paesaggio essi impallidiscono. Perdono la loro forza di luce allo stesso modo in cui qui la parola inverno perde il suo rigore. Il male, la minaccia, la durezza che vibrano nella tonalità avversativa della sillaba iniziale e nel suono cupo delle consonanti si dileguano: l'inverno qui è forza di luce, sole, limpidezza, chiarore, serenità e purezza. È brillante come un diamante e tuttavia dolce al tatto, puro come la luce mattutina ma pieno di vigore. È grande quiete e pace che durerebbe per l'eternità se non fosse turbata dagli uomini.

Eugenio Montale (1896-1981)

Ventidue prose elvetiche - Da Saint Moritz

È difficile far comprendere ad un giovane dell'ultima generazione che cosa sia stata St. Moritz, e in genere l'Engadina, per gli uomini di cultura che li hanno preceduti di venti, di trent'anni. Siamo qui in una delle capitali di un regno che sta tramontando: un regno che ha avuto i suoi dignitari in alto e in basso, in Nietzsche e in Segantini non meno che nei personaggi cari alla Serao e a Luciano Zuccoli... Il guaio è che dietro il mondo che frequentava St. Moritz c'era appunto una concezione della vita, una "Weltanschauung" che oggi sta scomparendo; e ormai questo impareggiabile borgo engadinese, se non manca di clienti occasionali, viene a mancare dei suoi clienti più tipici e più naturali: coloro per i quali l'Engadina era soprattutto un fatto spirituale... Ma è dubbio che si formi una clientela nuova. Chi viene in Engadina ci è venuto col padre, ha contratto in famiglia la malattia della Svizzera come molti altri contraevano, una volta, la malattia dell'Italia; chi viene qua appartiene ancora in qualche modo al vecchio mondo. Ci sono in inverno, imbattibili campioni di skeleton che si buttano a tuffo, ventre a terra, alla velocità di oltre cento chilometri all'ora; ma finita la

prova si rivelano per quel che sono: uomini di cinquanta, di sessanta anni, che passano il resto della giornata tra un cocktail e un altro, stringendo mani, ripetendo meccanicamente "how do you do", uomini incartapecoriti che manderanno qui i loro figli se ne hanno (ma è molto dubbio) e che tuttavia non bastano da soli a salvare dal progressivo isolamento, dalla rarefazione gli splendidi palaces che vanno dal Maloja a Pontresina...
L'aria dell'Engadina: quest'aria secca, elettrica, eccitante, sottile, che favorisce la pazzia... quest'aria è la vera e grande realtà engadinese e che nessuna crisi del turismo, nessuna contingenza economica e sociale potrà per un pezzo distruggere... Non potrete andare in un altro luogo dimenticandovi della sua storia, del suo folclore, della sua vita fisica e naturale; ma al Maloja, a Sils, a St. Moritz, l'evasione dai limiti più fastidiosi della fisicità umana, terrena, può essere completa; qui si può veramente respirare la vita lasciando cadere ogni altro legame e dimenticando persino la propria maschera storica, concreta, determinata.

Thomas Mann (1875-1955)

Continuo a ripetere: l'Engadina è semplicemente il più bel luogo al mondo. Di felicità non parlo alla leggera, ma qui mi sembra quasi d'essere felice.

Hermann Hesse (1877-1962)

Con la macchina attraverso il passo dello Julier
Deserto pietroso, cumulo di rovine
Ove niente è vita,
Alghe dalle tinte pallide, verdi, rosse, grigie,
Ripide vette slanciate verso il grigio,
Nuvole appese sopra i picchi,
Freddo e ostile il vento scontroso,
Morte gore nel cieco silenzio della palude,
Fresche piaghe sulle pallide mura,
Croste di sangue bruno, tormentate dalla roccia.
Come un lungo nastro che corre nel mezzo
La strada stanca ma nitida e severa,
Un tempo percorsa da pellegrini ed eserciti,
Ora consumati da macchine ronzanti,
Con dentro uomini che tutto avrebbero
Per fuggir dal chiasso verso l'estiva felicità,
Fuorché il tempo, fuorché il tempo.

Noi con loro corriamo, c'è ancora strada
Da qui a Bivio, Coira, Parigi, Berlino
Corriamo sulla strada scarna,
Guardiamo sfilare le nuvole sopra i picchi,
Detriti rocciosi, cieche gore.
Un brivido penetra in noi dal freddo grigio
Ma la macchina ci trascina via impietosa,
Più su, più giù, più lontano. Eroico e severo
Il mondo di pietre fissa nel grigio il suo sguardo.
Fuggiamo, fuggiamo e pensiamo: "che peccato!".

Andrea Bezzola (1840-1897)

Mia bella valle, bella mia Engadina
Addio... ciao... arrivederci!
Addio, allegra mia giovinezza
E voi compagni di tante ore liete...

Silvaplana: autunno, 1983

Isola - Maloja, 1985

Sils-Baselgia dal Pian da Lej, 1983

Autunno in Fextal, 1980

San Gian dopo la nevicata, 1980

Stagno a Samedan, 1988

Nevicata all'Alp Roseg, 1979

Diavolezza, 1987

Pontresina, St. Maria Kirche, 1997

Tramonto a Bever, 1988

Dal Suvretta, 1983

Silvaplana, 1983

L'ultimo larice sullo Julier, 1994

Conrad Ferdinand Meyer (1825-1898)

Jörg Jenatsch. Un épisode de l'histoire des Grisons
Le soleil de midi planait au-dessus des hauteurs dénudées et entourées de crêtes rocheuses qui forment le col du Julier, dans le pays des Grisons. Les parois de pierres brûlaient et brillaient sous les rayons qui les frappaient verticalement comme des flèches ardentes... Dans la partie centrale du col allongé et élevé se dressaient, à droite et à gauche du sentier muletier, deux colonnes brisées qui, depuis plus d'un millénaire peut-être, bravaient le temps. Sur le dessus d'un des deux fûts, dont les intempéries avaient évidé la cassure en forme de vasque, l'eau de pluie s'était amassée. Un oiseau sautillait sur le bord et buvait à petits traits cette eau du ciel...
Waser enfonça son feutre plus profondément sur son front, serra son bissac et descendit par bonds rapides le versant qui devenait plus raide, coupant ainsi les lacets du sentier muletier. D'abord il enjamba les racines d'aroles noircies par la foudre, étrangement tordues, et les lits durcis des torrents desséchés, puis il foula un tendre gazon et, soudain, l'Engadine s'étala devant lui, semblable à du velours vert, avec ses lacs alignés comme des bijoux le long de l'Inn étincelant.

Friedrich Nietzsche (1844-1900)

Le voyageur et son ombre
Aphorisme 295. Et in Arcadia ego.
Descendant, mon regard franchissait un ondoiement de collines, du côté d'un lac au vert laiteux, à travers les sapins et d'antiques, et austères pins; autour de moi, des blocs rocheux de toute sorte, le sol diapré de fleurs et d'herbes. Un troupeau défilait, s'étendait, s'étirait devant moi; plus loin, dans la très intense lumière vespérale, à côté du bois de conifères, quelques vaches, isolées ou par groupes; d'autres plus près, plus sombres; sur toutes choses le calme et la plénitude du soir. Ma montre marquait environ cinq heures et demie. Le taureau du troupeau était entré dans le torrent aux remous d'écume blanche et remontait lentement, tantôt résistant, tantôt cédant, son cours impétueux: il y trouvait sans doute le plaisir furibond qui lui convenait. Deux créatures d'un brun foncé, d'origine bergamasque, en étaient les bergers; la fille quasiment vêtue en garçon. A gauche, des pentes rocheuses et des champs de neige au-dessus de larges ceintures de forêts; à droite, deux énormes pitons couverts de glace, très haut sur ma tête, flottant dans un nuage de soleil vaporeux, - rien que de grand, de serein, de lumi-

neux... Tant de beauté accumulée faisait courir un frisson sacré, portait à une muette adoration de cet instant de révélation; involontairement, comme s'il n'y avait rien de plus naturel, on imaginait des héros grecs dans ce monde de lumière pure et nette (où rien ne rappelait la nostalgie, l'attente, le regard porté en avant ou en arrière); on ne pouvait que se sentir à la manière de Poussin et de ses élèves: à la fois héroïques et idylliques.

Le voyageur et son ombre
Aphorisme 338. La nature notre double.
Dans certains sites de la Nature nous nous redécouvrons nous-mêmes, avec un agréable frisson; c'est le plus beau cas de dédoublement qui soit. Heureux celui qui ressent cette sensation juste ici, dans cet air d'octobre toujours ensoleillé, ce jeu heureux et espiègle de la bise du matin au soir, dans cette clarté si pure et cette fraîcheur si tempérée de ce haut plateau avec ses collines, ses lacs et ses forêts tellement gracieux et profonds qui s'est allongé sans crainte ici, à côté des frayeurs de la neige éternelle, ici où l'Italie et la Finlande ont conclu alliance et où semble être le berceau de tous les tons argentés de la nature: - heureux celui qui peut dire: «il y a certainement quelque chose de beaucoup plus grand et de beaucoup plus beau dans la nature, mais ceci m'est cher et intimement connu, il est de mon sang, même plus encore.»

Jean Cocteau (1899-1963)

Requiem
Et voici le gel de l'Engadine
De glace et de feu ses colosses
Côte à côte debout m'accueillent
Et devant la maison sacrée
Basse sous sa housse de neige
Sur le seuil je m'agenouille.

Et je mange un peu de sa neige
Car l'homme dont jamais Paul Ré
Ni Lou ne surent ce que cachent
Les mystérieuses moustaches
Assis sur cette marche vint
Dionysos cuver son vin.

Nietzsche ce matin je laisse
L'empreinte de mes genoux
Sur le coussin de velours blanc
M'offrant les clefs de votre porte.

Theodor W. Adorno (1903-1969)

De Sils Maria

Le caractère inexpressif (des marmottes) correspond à celui du paysage. Il n'y a aucun souffle de médiocrité humaine. Cela lui confère le pathos de la distance, dans lequel Nietzsche aimait se réfugier. Par ailleurs les moraines, si caractéristiques de ce paysage, ressemblent aux montagnes de détritus industriels, aux tas de déchets d'installations minières. L'un et l'autre, cicatrices de la civilisation et espaces intacts au-delà des limites des forêts s'opposent à l'idée de la nature qui aurait une vocation consolatrice et serait source de chaleur pour les hommes. Ici transparaît déjà l'aspect du cosmos. L'image courante de la nature est limitée, étriquée, calibrée sur l'aire minuscule où se développe la vie familière dans son devenir historique; un chemin de campagne devient la philosophie de la vie. Là, où la domination de la nature détruit cette image animée et trompeuse, la nature, quant à elle, semble se rapprocher de la désolation transcendante de l'espace. La supériorité du paysage de l'Engadine, qui se trouve dans cette vérité sans illusions, dépassant une perception petit-bourgeoise, est compensée par son impérieuse entente avec la mort...

Les histoires selon lesquelles les caves des hôtels Edelweiss et Alpenrose renfermeraient des tas de manuscrits poussiéreux de Nietzsche relèvent certainement de la pure imagination. Si quelque chose de semblable existait, les chercheurs l'auraient trouvé. Il convient donc d'abandonner l'espoir que du matériel inédit puisse permettre d'arbitrer la controverse entre Lama et Schlechta. Toutefois, il y a quelques années, j'appris qu'un certain Monsieur Zuan d'un âge avancé qui tenait l'épicerie bien achalandée de l'endroit, aurait encore connu Nietzsche enfant. Herbert Marcuse et moi, nous lui rendîmes visite et fûmes aimablement reçus dans une sorte de comptoir privé. En effet, M. Zuan put se souvenir.
En réponse à des questions plus précises, il raconta que Nietzsche aurait, par temps de pluie comme par beau temps, porté une ombrelle rouge, probablement dans l'espoir de se prévenir des maux de tête. Une bande d'enfants, dont faisait aussi partie M. Zuan, s'était fait une joie de mettre des petits cailloux dans l'ombrelle fermée, qui, dès qu'il l'ouvrait, lui tombaient sur la tête. Menaçant, il leur aurait couru après, en brandissant l'ombrelle, mais n'aurait jamais réussi à les attraper. Nous pensions à quelle situation difficile cet homme plein de souffrances devait être arrivé, lui qui pourchassait en vain ses démons et leur donna

finalement raison, parce qu'ils représentaient la vie contre l'esprit. A moins que l'expérience d'un réel manque de compassion ait perturbé son esprit dans quelques philosophèmes.
M. Zuan ne fut pas capable de se remémorer d'autres détails, il aurait sans doute pu nous raconter des tas de choses sur la visite de la reine Victoria et fut légèrement déçu que cet épisode ne présentait pas autant d'intérêt pour nous.
Entre-temps, M. Zuan est mort, à plus de quatre-vingt-dix ans.

Friedrich Nietzsche (1844-1900)

Le gai savoir
Sils-Maria
J'étais assis ici à attendre; à attendre - sans rien attendre
Par delà bien et mal, jouissant tantôt de la lumière,
Tantôt de l'ombre, tout jeu seulement
Tout lac, tout midi, tout temps sans but.

Et soudain, amie! Un devint Deux -
Et Zarathoustra passa devant moi...

Hermann Hesse (1877-1963)

Description d'un paysage, Miniatures suisses
Un air de montagne incroyablement fort, frais et âpre donne à toutes les couleurs une fraîcheur d'émail; l'eau de la rivière et des lacs a notamment un reflet et une transparence, comme dans nulle autre vallée suisse. Un beau chemin de randonnée mène au-dessus de l'eau, de l'autre côté de Silvaplana vers Sils-Maria en longeant le lac. Et de là, on voit après le deuxième lac, les montagnes et des versants merveilleusement abrupts puis à l'horizon s'étend dans toute sa largeur et sa majesté, la porte vers le Sud avec le vieux Maloja, le Bergel et la route magique vers l'Italie.

Stefan Zweig (1881-1942)

Ivresse de la Métamorphose
Finalement, le chauffeur arrêta la voiture pour leur faire admirer le panorama.
"Maloja" annonce le général Elkins et la fait descendre toujours aussi respectueux. Le coup d'œil dans le fond est magnifique. En lacets hardis la route dévale la pente comme un torrent. On sent ici que la

montagne épuisée n'a plus la force de se dresser en pics et en glaciers; tout d'un coup, elle se précipite dans une vallée lointaine qui s'étend à perte de vue. "Ici, en bas, dans la plaine commence l'Italie". "L'Italie", répond Christine, surprise, "elle est si proche, vraiment si proche?".

Giovanni Segantini (1858-1899)

Lettre à Anna Radius Zuccari (Neera)
Savognin, 8.4.93
Très chère Madame Neera,
J'ai lu vos nouvelles. Magnifiques. Les deux dernières me plaisent particulièrement.
Je vous remercie, très chère amie, de vous souvenir d'un mort vivant. Cet hiver la neige est tombée en abondance. Tard comme à l'accoutumée sur ces hauteurs, le divin printemps a désormais fait son apparition, effleurant de sa baguette magique le tombeau de la nature. Fidèles à ses lois, la nature s'est réveillée: la neige et la glace qui la recouvraient ont fondu, en mettant à nu la terre rabougrie qui se désagrège pour revitaliser les forces naissantes. Et l'on peut déjà entrevoir des pousses d'herbe d'un vert tendre soulever les petites branches sèches et se frayer un chemin au milieu de la mousse moisie, où voir poindre, ici ou là, d'humbles marguerites aux yeux jaunes et aux collerettes blanches. Dans les bois nus, les oiseaux en liesse s'affairent à porter dans leurs becs des fils et brins d'herbe pour construire leurs nids.
Voilà le début du printemps, ici. Mais jusqu'à ce que l'alouette prenne son envol vers les airs pour nous enchanter de ses grisollements jubilatoires, il faudra encore patienter tout un long mois. Mais, alors, Signora, alors, cette nature sauvage est belle, éclatante de jeunesse parfumée de violettes et d'églantines, enrichie de la note verte des résineux.
C'est à ce moment-là que j'entre en moi-même pour sentir l'essence du beau, pendant que mon regard d'abord absorbé par la contemplation du ciel bleu finit par se perdre dans la pureté des cimes enneigées. Il voit le blanc et sent le bleu, puis glisse vers le gris des rochers et se repose dans la quiétude du vert qui m'entoure.
Je vous envoie mes salutations cordiales et vous prie de croire à mon amitié dévouée.
G. Segantini

D'une lettre à Vittorio Pica
4 novembre 1887
...voilà plus de 14 ans que j'étudie dans la nature de la haute montagne les accords d'une création alpine, composée de tons et de couleurs qui contiennent toute la gamme d'harmonies de la haute montagne et les réunit dans une seule et unique entité. Il n'y a que celui qui, comme moi, a vécu pendant des mois là-haut sur ces prés alpins baignés de lumière, dans les jours bleu azur du printemps, écoutant les voix qui montent des vallées, ces harmonies indistinctes de tons, portées par le vent et se perdant au lointain, créant autour de nous un silence sacré devant l'infini de l'espace bleu azur, fermé à l'horizon par la chaîne des monts rocheux et des glaciers enneigés, il n'y a que celui-là qui puisse saisir le grand sens artistique de ces couleurs et de ces sons. J'étais toujours conscient de l'importance que les harmonies entre ces lignes, ces couleurs et ces tons avaient pour mon esprit et que l'âme qui les dirige et l'âme de celui qui les observe et les écoute n'est qu'une, de sorte que d'une compréhension mutuelle croît une sensation de lumière, d'où naît l'harmonie, cette harmonie éternelle de la haute montagne. Je me suis toujours efforcé de rendre cette signification dans mes tableaux, au moins en partie; mais, puisque très peu de gens la ressentent et le comprennent, pour des raisons variées, je crois que notre art est incomplet et qu'il ne représente que des détails de la beauté et non pas l'entière beauté qui vit et donne vie à la nature.

Eugenio Montale (1896-1981)

De St.Moritz
Segantini est le "genius loci" de ces montagnes... comme on ajoute des franges à un habit il a ajouté le spirituel à la peinture; il croyait que la peinture devait ou pouvait égaliser avec les autres arts - la musique et la poésie - et qu'elle transgresserait ainsi ses propres limites.

Gottardo Segantini (1882-1974)

A la mémoire de Giovanni Giacometti
C'était le 29 septembre, le jour tirait sur sa fin. Toutes les montagnes de l'Engadine étaient recouvertes d'une couche de neige fraîchement tombée: le ciel s'était éclairci et une dernière brise soufflait. De Pontresina à Sils, on entendait les cloches sonner pour l'office funèbre, maintenant c'était au tour des sons argentés

de la cloche de Maloja de répandre sa plainte dans le silence mortuaire des montagnes environnantes.
Quittant le lac, le convoi funèbre tourne vers Capolago pour entrer dans le village. De ce virage, je vois sur le versant de la montagne se dresser la silhouette de Giovanni Giacometti dans les prés marécageux. Il pleure. Le corbillard avec le corps de Giovanni Segantini passe devant lui, suivi par la voiture dans laquelle je suis assis avec ma mère et mes frères, mais la silhouette barbue et rousse reste immobile, plongée dans le deuil et pleure.

Alfons Tuor (1871-1904)

Etoiles du firmament
Dites-moi
Pourquoi ne vivons-nous
Qu'un seul instant ?

Gian Fadri Caderas (1830-1891)

Cimetière, situé à cette altitude
Inondé de la lumière pure du soleil
Tu ne m'as jamais fait ressentir le deuil
Qu'un tel lieu saint inspire d'habitude

Giovanni Giacometti (1867-1933)

Ce sont mes tableaux qui renseignent sur mon art. Le pinceau, les couleurs sont les seuls moyens d'expression qui me sont familiers. Ce sont les interprètes fidèles de mes pensées, de mes rêves, de ma vie. Ma vie est mon art et mon art est ma vie. Ce petit bout de terre, enfermé dans une chaîne d'étroites montagnes est mon univers. Je suis né ici, mon imagination a pris son envol ici, mes yeux se sont enivrés ici aux premiers rayons de soleil. Parti pour les métropoles où les chef-d'œuvres des grands maîtres m'ont dévoilé la nature divine de l'art, je suis retourné dans ce lieu d'antiques montagnes. Ici, j'apprends, pareil à une vestale, à maintenir l'étincelle que la nature généreuse a allumée en moi afin qu'elle éclaire et réchauffe mon œuvre.

Peter Lippert (1879-1936)

De l'Engadine: Lettres pour aspirer au bonheur
J'ai découvert une nouvelle faculté des yeux. J'ai découvert que, de temps à autre, je voudrais caresser des yeux le lac de Silvaplana ou le lac de Sils, de la même manière que l'on caresse des doigts un velours doux et soyeux. C'est ainsi que je pose mes yeux tendrement sur le haut-plateau des lacs - de loin naturellement comme cela se doit pour les yeux, qui peuvent ainsi saisir le lointain.
Lorsque je regarde ces lacs à une certaine hauteur et colorés de certains tons, alors j'éprouve ceci: je pose mes yeux délicatement sur la surface scintillante des lacs, qui s'étendent là-bas dans la plaine lumineuse et resplendissent d'une lumière intrinsèque. Et un flot de tendresse m'envahit.

Marcel Proust (1871-1922)

Les Plaisirs et les Jours - Présence Réelle
Nous nous sommes aimés dans un village perdu d'Engadine au nom deux fois doux: le rêve des sonorités allemandes s'y mourait dans la volupté des syllabes italiennes. A l'entour, trois lacs d'un vert inconnu baignaient des forêts de sapins. Des glaciers et des pics fermaient l'horizon. Le soir, la diversité des plans multipliait la douceur des éclairages. Oublierons-nous jamais les promenades au bord du lac de Sils-Maria, quand l'après-midi finissait, à six heures ? Les mélèzes, d'une si noire sérénité quand ils avoisinent la neige éblouissante, tendaient vers l'eau bleu pâle, presque mauve, leurs branches d'un vert suave et brillant. Un soir l'heure nous fut particulièrement propice; en quelques instants, le soleil, baissant, fit passer l'eau par les nuances et notre âme par toutes les voluptés....
Je ne t'avais jamais parlé et tu étais même loin de mes yeux cette année-là. Mais que nous nous sommes aimés alors en Engadine !
Jamais je n'avais assez de toi, jamais je ne te laissais à la maison. Tu m'accompagnais dans mes promenades, mangeais à ma table, couchais dans mon lit, rêvais dans mon âme. Un jour - se peut-il qu'un sûr instinct, mystérieux messager, ne t'ait pas avertie de ces enfantillages où tu fus si étroitement mêlée, que tu vécus, oui, vraiment vécus, tant tu avais en moi une présence réelle ? - un jour (nous n'avions ni l'un ni l'autre jamais vu l'Italie), nous restâmes comme éblouis de ce mot qu'on nous dit de l'Alpgrun: «De là on voit jusqu'en Italie.» Nous partîmes pour

l'Alpgrun, imaginant que, dans le spectacle étendu devant le pic, là où commencerait l'Italie, le paysage réel et dur cesserait brusquement et que s'ouvrirait dans un fond de rêve une vallée toute bleue. En route, nous nous rappelâmes qu'une frontière ne change pas le sol et que si même il changeait, ce serait trop insensiblement pour que nous puissions le remarquer ainsi, tout d'un coup. Un peu déçus, nous riions pourtant d'avoir été si petits enfants tout à l'heure.
Mais en arrivant au sommet, nous restâmes éblouis. Notre enfantine imagination était devant nos yeux réalisée. A côté de nous, des glaciers étincelaient. A nos pieds des torrents sillonnaient un sauvage pays d'Engadine d'un vert sombre. Puis une colline un peu mystérieuse; et après des pentes mauves entrouvraient et fermaient tour à tour une vraie contrée bleue, une étincelante avenue vers l'Italie. Les noms n'étaient plus les mêmes, aussitôt s'harmonisaient avec cette suavité nouvelle. On nous montrait le lac de Poschiavo, le pizzo di Verone, le val de Viola. Après nous allâmes à un endroit extraordinairement sauvage et solitaire, où la désolation de la nature et la certitude qu'on y était inaccessible à tous, et aussi invisible, invincible, aurait accru jusqu'au délire la volupté de s'aimer là.

Paganino Gaudenzio (1595-1649)

Poschiavo
Là haut sur le col d'où l'on peut apercevoir les hautes montagnes de la Retie
Où les sommets s'élancent de plus en plus haut dans le ciel,
Là où les champs fertiles vainquent le froid du Nord
Et le beau lac s'étend en direction de l'ouest, vers l'Italie,
Il n'est pas difficile de trouver la modeste vallée de Poschiavo,
Que la nature elle-même protège par de hautes cimes.
Ici où l'air est si bienfaisant, j'ai vu le jour.
Ici j'ai joué comme garçon et j'ai appris à lire.
Aussi suis-je désireux d'y passer ma vie future
Et de passer mes dernières années nulle part ailleurs.
Cette terre est pauvre et âpre mais mon cœur y tient
Puisque c'est ma patrie. Qui donc veut être sans patrie ?

Hermann Hesse (1877-1962)

Description d'un Paysage, Miniatures Suisses
J'ai vu grand nombre de paysages et presque tous m'ont plu; mais peu d'entre eux se sont révélé

comme m'ayant été prédestinés et m'ont ému d'une manière aussi profonde que persistante, se transformant avec le temps en une deuxième petite patrie; et de tous ces paysages c'est la vallée supérieure de l'Engadine qui est le plus beau, le plus impressionnant pour moi.

Jakob Christoph Heer (1859-1925)

Le roi de la Bernina

Dans le désert terrifiant de la caillasse nue, les eaux des lacs stagnent indéfinissables et désolées, dessinant d'infinis cercles frémissants, autour des rochers jaillissant des flots. L'un des lacs est clair, l'autre est sombre, l'un s'appelle le Blanc, l'autre le Noir. Du clair s'écoule un ruisseau et ses vagues se reposent en fin de course dans la Mer Noire; du lac noir s'écoule un ruisseau qui se jette dans la belle Adriatique bleue. Mais que c'est étrange ! Une brise passe au-dessus du col et son souffle suffit pour que, sous les dalles de l'antique sentier du destin, les vagues de l'un des lacs se mêlent avec celles de l'autre lac. Celles qui devraient se diriger vers la Mer Noire se jettent dans l'Adriatique et celles de l'Adriatique refluent, à cause d'une petite brise, dans la Mer Noire. Aussi lumineux, aussi ensoleillé que le jour puisse apparaître au-dessus du désert du col et même si les montagnes semblent s'élancer comme des candélabres, il existe cependant au-dessus des lacs une atmosphère mystérieuse, frappée par la fatalité. Car, aussi facilement que se séparent ici les eaux se scindent aussi le bonheur et le malheur.

Gottfried Benn (1866-1956)

Poèmes statiques

Les heures s'écoulaient dans le soir
Il écoutait dans la lumière suspendue
Leur strophe: «toutes blessent
La dernière brise...»

C'était le dernier mot.
Mais celui qui pense les heures
Leurs vagues, leur jeu, leur être
Les dirige aussi.

Car l'heure ne touche pas
Celui qui dit: «c'est pour le mieux»,
Le connaisseur des ombres
Boit la lumière des Parques.

Ce n'était pas de la neige mais un éclat
Qui produisait là-haut
Et descendait,
Ce n'était pas la mort mais tous
Se pensaient proches d'elle.

C'était si blanc, aucune prière
Ne transperçait plus l'opale,
Un monstrueux: «A souffert»
Etait écrit au-dessus de ce val.

Arthur Caflish (1893-1971)

Symphonie alpine
Sur le sommet, fouettée par le vent
Comme le loup poussé par la famine
L'avalanche enragée se détache de la crête
Avec un grondement puissant
Hurlant elle se jette en bas de la montagne
Et se fraie sa route avec fracas
Détruisant tout sur son chemin
Pour terminer sa course folle au fond de la vallée.

Hermann Hesse (1877-1963)

Quand mon cœur a souffert, l'Esprit de la montagne,
Le grand consolateur, bien souvent m'accompagne
Là-haut sur les glaciers, et le long du chemin
Je sens contre mon front la fraîcheur de sa main
Se poser tout le temps qu'en moi la paix revienne...

Jon Pult (1911)

Le sentier est raide
Arrête-toi un moment
Eloigne-toi un instant
De l'agitation du monde !

Andri Peer (1921-1985)

Une passerelle
Une cabane
Encore quelques pas
Sur le chemin battu
Si tu veux
Arriver au sommet

Tu dois
dès à présent
trouver ton propre chemin

Richard Strauss (1864-1949)

Correspondance avec Willi Schuh
Nous sommes arrivés ici hier, heureux, avec une pluie battante, enveloppés dans la brume de Zarathoustra. Il n'y a qu'une seule Engadine sur toute la terre, nous sommes totalement enthousiastes et buvons l'air des chamois comme du champagne français. Quoi de plus étonnant que Nietzsche y ait perdu sa raison.

Duri Gaudenz (1929)

Tarasp
Cette mère poule là-bas qui prend soin de sa nichée
C'est le château de Tarasp avec ses fractions éparpillées.

Sylvia Andrea (1849-1935)

Faustine
Le jour était encore enveloppé par l'aurore, les couleurs et les formes indécises comme dans une vision féerique. Seules les cimes plongeaient dans des contours nets leurs crêtes et couronnes dentelés ou leurs pointes massives dans le bleu léger du ciel. Les formes gigantesques, pas encore atténuées par les tons colorés du jour, se montraient dans toute leur monstruosité. Et la lumière vint. D'abord elle surgit des crêtes montagneuses comme une flèche en feu, puis elle se déversa en amples vagues sur les montagnes et les collines pour finalement envelopper la vallée pleine d'impatience. D'un seul coup le fond de la vallée se remplit de vie et de mouvement. Les oiseaux entonnèrent un chant polyphonique, les maisons et les villages émergèrent de la brume matinale. L'aurore auquel la reine du ciel s'accrocha, jeta mille reflets changeants sur la surface du lac de St. Moritz. Tantôt elle y tissa un filet d'or, tantôt elle roula des roues en feu à travers l'eau mouvementée, tantôt elle dessina une couronne d'immenses roses pour l'effacer peu après avec une pluie d'étincelles violente. Tout autour, les montagnes étaient revêtues de manteaux de pourpre sur les épaules et des couronnes de feu étaient posées sur les fronts des glaciers.

Stefan Zweig (1881-1942)

Chez les sans-souci

Dans quelle splendeur magique baigne St. Moritz durant ces jours d'hiver ensoleillés! Telle une huître nacrée aux bords dentelés, la vallée blanche se découpe sur le bleu transparent du ciel. Relevée de la profondeur vers les cimes enneigées, cette douce vallée est encore recouverte d'un ciel infini. Car l'air gonflé de soleil est ici si pur que tout semble être encore plus lointain et que les étoiles brillent comme des flammes blanches dans la nuit infinie. Et cette blancheur dans le soleil d'hiver, cette blancheur omniprésente, cette blancheur immaculée, irréelle de la neige de la haute montagne est d'une couleur comme ne la possède que les pierres précieuses qui ne portent pas leur couleur comme un simple habit, mais qui brillent d'une lumière intérieure comme si c'était leur âme. On ne peut pas le décrire. On ne peut pas non plus le peindre. Les tableaux de Segantini sont beaux - jusqu'à ce que l'on connaisse cette réalité, là ils restent pauvres. Ils perdent leur splendeur comme le mot «hiver» perd ici sa force. Tout ce qui est méchant, menaçant, violent, contenu dans ce vocable qu'est l'hiver disparaît ici: l'hiver est ici brillance, soleil, clarté, lumière, gaieté et pureté. Quelque chose de scintillant comme le diamant et pourtant doux au toucher, quelque chose de pur comme la lumière matinale et pourtant d'une immense vigueur et quelque chose qui repose dans un grand silence et qui resterait éternellement s'il n'y avait pas les interventions destructrices des hommes.

Eugenio Montale (1896-1981)

De St. Moritz

Il est difficile de faire comprendre à des jeunes gens ce que signifiait St. Moritz et l'Engadine en général pour des personnes cultivées, il y a 20 ou 30 ans. Nous sommes ici dans une des capitales d'un royaume en voie de disparition: un royaume qui a eu ses héros dans le sens positif et négatif, des personnalités comme Nietzsche et Segantini, mais aussi d'autres, chères à Seraos et Luciano Zuccoli... Le problème est que derrière les hommes qui fréquentaient St. Moritz se trouvait une conception de la vie, une «Weltanschauung» (reflétant certainement une situation économique) qui est aujourd'hui en train de disparaître; et désormais il manque à ce village unique d'Engadine non pas les clients occasionnels mais les plus typiques et les plus naturels, ceux pour qui

l'Engadine était essentiellement le lieu de l'esprit... Mail il est douteux qu'une nouvelle clientèle puisse se former. Celui qui vient en Engadine y est déjà venu avec son père, y a été, au sein de sa famille, contaminé par le virus «Suisse» comme autrefois beaucoup ont été contaminés par celui de l'Italie. Celui qui vient ici appartient encore, d'une certaine manière, à l'ancien monde. Il existe ici en hiver des champions de skeleton invincibles qui se lancent avec une vitesse de plus de 100 km à l'heure vers la vallée, la tête en avant, couchés à plat ventre sur les luges. Mais une fois la compétition terminée, ils se montrent en fait tels qu'ils sont: des hommes de 50, 60 ans qui passent le reste de la journée à aller d'un cocktail à l'autre secouant des mains et répétant sans arrêt un «how do you do» machinal, des hommes pleins de rides qui enverront ici également leurs enfants (à condition d'en avoir ce qui est fort douteux), qui eux seuls ne pourront toutefois pas empêcher que les palaces prestigieux entre Maloja et Pontresina deviennent de plus en plus rares.
L'air de l'Engadine. Cet air sec, électrique, excitant, mince qui est la seule, la vraie réalité de l'Engadine et qu'aucune crise du tourisme, aucune contingence économique et sociale ne peut détruire à la longue. Nulle part ailleurs on ne peut oublier son histoire, son folklore et sa vie quotidienne, mais à la Maloja, à Sils et à St. Moritz s'évader des limites les plus contraignantes de la condition humaine peut être parfait; ici, on peut vraiment respirer la vie, en oubliant tout lien au point que tombe notre propre masque authentique, concret et déterminé.

Thomas Mann (1875-1955)

Je répète toujours: L'Engadine est le plus bel endroit du monde qui soit. Je ne parle pas de bonheur à la légère, mais je crois presque, que je suis heureux ici.

Hermann Hesse (1877-1962)

En passant par le col du Julier en auto
Déserts pierreux, champs ruinés où rien ne bouge
Minces algues aux tons pâlis, gris, verts ou rouges,
Dans la grisaille un pic dresse son arc tendu,
Un nuage au-dessus de la crête est pendu;
Un vent maussade distribue ses froides claques,
A l'aveugle et muette eau stagnante des flaques.
La paroi blême saigne brun, blessures fraîches
Laissant au roc meurtri leurs cicatrices rêches.

Lasse, la route va, mais découpe pourtant
Fière, la tranchée nette où court son long ruban.
Soldats ou pèlerins y marquèrent leur trace;
De nos jours la machine en ronronnant y passe
Chargée d'hommes qui voudraient bien, en vérité,
Fuir le vacarme au sein du grand bonheur d'été.
Mais le temps, mais le temps fait défaut!
Nous courons. Nous aussi, car il faut
Rejoindre au loin Bivio, Coire, Paris, Berlin.
Et nous courons le long de ce maigre chemin,
Regardant tout là-haut défiler les nuages
Et quelque flaque aveugle au creux des éboulis.

Nous frissonnons un peu, saisis par ce froid gris,
Mais la machine nous entraîne sans ambage,
Plus haut, plus bas, plus loin. Nous contemplant, le mur
Abrupt de pierre est là, monde héroïque et dur.
Nous fuyons, nous fuyons, en pensant: "Quel dommage!"

Andrea Bezzola (1840-1897)

Adieu ma belle vallée, mon Engadine
Porte-toi bien
Adieu, allegra jours heureux de ma jeunesse
Et vous compagnons de belles heures d'ivresse

Lago Bianco e Lago Nero, 1994

Poesia

Alfons Tuor (1871-1904)

O schei vus caras steilas
El firmament,
Perigei viv'ins sin tiara
Mo in mument?

Gian Fadri Caderas (1830-1891)

Sunteri post sun quell'otezza,
Dal pür sulagl iglümino,
Tü nu m'inspirast la tristezza
Ch'ün champ da pos m'ho inspiro

Arthur Caflish (1893-1971)

Sinfonia alpina
Sül cuolmen, giaschlada dal vent
Sco'l luf alvantà da fomina
As schrainta cun spüf veement
Dal spi la rabgiusa lavina.
La's bütta üerland giò dal munt
S'sdramond in frantun sia strada
Travers a tuot quai chi fa frunt
Cun forza giò vers la vallada...

Jon Pult (1911)

La giassa ais stipa,
at ferma ün mumaint,
la prescha dal muond
nu't renda cuntaint!

Andri Peer (1921-1985)

Un piogn
Un clavadigl.
I va amo ün toc
Sün via battüda.
Davo esa da far
La ruotta,
Schas tü vuost
Rivar
Süls ots.

Duri Gaudenz (1929)

Tarasp
Quella cluotscha vi là chi vaglia da sia brajada
Quai è'l chastè da Tarasp e las sternüdas fracziuns.

Andrea Bezzola (1840-1897)

Ma bella val, mi Engiadina,
A diou sta bain, a bun ans vair;
A diou vus allegra giuventüna
Vus chars compagns da tant plaschair...

Die Übersetzungen der rhätoromanischen Gedichte befinden sich in den respektiven Kapiteln.
Le traduzioni delle poesie in reto-romanico si trovano nelle rispettive sezioni.
Les traductions des poésies romanches se trouvent dans les chapitres respectifs.

Postscriptum

Vittore Ceretti

Die Kürze und Wechselhaftigkeit unseres Lebens lässt uns ganz besonders diejenigen Bilder schätzen, die gelebte Augenblicke wiedergeben.

Beim Malen beobachtet man mit grosser Aufmerksamkeit: man sammelt nicht nur Farben, Kontraste, Schattierungen, sondern vor allem vertieft und geniesst man die Stimmung eines Momentes.

Ich persönlich bevorzuge die Betrachtung dieser Natur aus Weiden und Almen, Zeugen jahrhundertealter Tradition von Alpaufzügen; dieser an überraschenden Seitentälern reichen Natur, wo die aus den Tiefen der nahen und fernen Wasser aufsteigende Musikalität nur allzu oft vom unerwarteten, geheimnisvollen, höllischen Geräusch unterbrochen wird, das entsteht, wenn Fels und Eis, die dem lauten, lockenden Ruf der Erdanziehungskraft nicht widerstehen können, brechen; dieser Natur aus zyklopischen, wilden, bedrohlichen Felssplitter, die vergeblich versuchen, den Himmel zu ritzen und ganz gleichgültig gegenüber den durchsichtigen Nebeln bleiben, die ihre Hänge streicheln; dieser Natur, in der aristokratisch elegante Zirruswolken gleich hochfliegenden Botschaftern aus dem Norden die bezaubernden Spiele der unruhig aufsteigenden, barocken Gewitterwolken von oben herab beobachten; dieser Natur, in der die letzten Lärchen dort oben, wo die Weiden zwischen zerstreuten Felsblöcken enden, den Winter erwarten und den Boden mit einem zarten Regen aus weichen goldfarbenen Nadeln bedecken.

Das ist die Natur, die noch heute verzaubernde, romantische Gefühle in einem jedem erweckt, der es wie ich versteht, während seiner Pilgerungen im Gebirge zu verweilen, um ergreifende Momente tiefer, wunderbarer Spiritualität zu sammeln.

Presso il Passo Bernina, 1989

Postscriptum

Vittore Ceretti

La nostra vita breve e mutevole ci porta ad apprezzare in particolar modo qualsiasi riproduzione di un istante vissuto.
Dipingendo si esercita un'osservazione attenta e ciò porta a cogliere non solo colori, contrasti, sfumature, ma soprattutto ad approfondire e gustare l'atmosfera del "momento".
Preferisco osservare quella natura fatta di pascoli e alpeggi, testimonianza di secolari transumanze, quella natura ricca di sorprendenti valli secondarie dove la musicalità di fondo delle acque vicine e lontane è sovente interrotta da suoni improvvisi, misteriosi, infernali, provocati da massi e seracchi che non sanno sottrarsi al richiamo forte e seducente della gravità, quella natura fatta di ciclopiche selvagge minacciose schegge che tentano invano di pungere il cielo, indifferenti alle nebbie trasparenti che accarezzano i loro fianchi, quella natura dove aristocratici raffinati cirri, stratosferici nordici ambasciatori, osservano dall'alto i suggestivi giochi ascensionali di irrequieti barocchi cumuli-nembi, quella natura dove al limite dei pascoli tra frammenti di rocce, gli ultimi larici attendono l'inverno cospargendo il suolo con una delicata pioggia di morbidi aghi dorati.
Questa è la natura che ancor oggi provoca magiche romantiche emozioni a chi, come me, sa sostare nei suoi pellegrinaggi alpini e sa cogliere emozionanti momenti di profonda meravigliosa spiritualità.

Postscriptum

Vittore Ceretti

La brièveté et les aléas de la vie nous incitent à apprécier d'une manière particulière les images qui expriment l'instant vécu.

Le regard du peintre se concentre avec précision, pour saisir non seulement les couleurs, les contrastes, les nuances, mais surtout, pour approfondir et goûter l'atmosphère du moment.

Pour ma part, je préfère observer cette nature de pâturages et d'alpages, qui témoigne ainsi de siècles de transhumances; cette nature avec ses surprenantes vallées secondaires, qui laissent monter du fond des eaux proches et lointaines, une musicalité, souvent interrompue par des sons imprévus, à la fois mystérieux et infernaux, provoqués par des rochers et séracs, que la force puissante et ensorcelante de la gravité emporte irrémédiablement; cette nature, faite d'arrêtes tranchantes, aussi sauvages que menaçantes et qui tentent, mais en vain, de transpercer le ciel, restent par ailleurs, indifférentes aux moutons de brume transparente qui caressent leurs flancs; cette nature, où des cirrus si raffinés, à l'allure aristocratique, tels des ambassadeurs stratosphériques venant du nord, contemplent d'en haut les jeux ascensionnels très suggestifs de turbulents cumulo-nimbus baroques; cette nature où, à l'extrême limite des pâturages et alpages, jonchés de fragments de rochers, se dressent les derniers mélèzes qui, dans l'attente de l'hiver, arrosent le sol d'une délicate pluie de fines aiguilles d'or.

C'est cette nature qui génère encore aujourd'hui des sentiments romantiques et touche par des émotions magiques, celui qui, comme moi, sait s'arrêter dans ses pèlerinages alpins, pour jouir de l'intensité de ces moments de spiritualité profonde et merveilleuse.

Bibliographie - Bibliografia - Bibliographie

In der Folge werden alle Werke und - falls vorhanden - deren Übersetzungen aufgeführt. Allerdings wurden einige der Übersetzungen neu für diese Ausgabe überarbeitet. Die meisten Texte werden hier zum ersten Mal übersetzt publiziert. Wir danken an dieser Stelle allen Freunden, die uns bei der Zusammenstellung und Übertragung in die verschiedenen Sprachen behilflich waren.

I libri citati figurano elencati con il loro titolo ed in lingua originale, rispettivamente con le traduzioni, ove queste sono state rintracciate. Talune traduzioni sono state rielaborate. In altri casi i brani sono stati tradotti per la prima volta. Approfitto dell'occasione per ringraziare tutti gli amici che ci hanno prestato man forte nella trascrizione dei testi nelle varie lingue.

Les ouvrages sont mentionnés avec leurs titres dans la langue originale ainsi qu'en traduction. Nombre de traductions existantes ont été retravaillées pour cette édition. Dans bien des cas des textes ont été traduits pour la première fois. Nous profitons de cette occasion pour remercier tous les amis qui nous ont aidé avec la transcription dans les différentes langues.

Conrad Ferdinand Meyer
Jörg Jenatsch. Eine Bündnergeschichte. Zuerst erschienen 1874
Jurg Jenatsch, Un épisode de l'histoire des Grisons, ed. Plaisir de Lire, Cossonay 1990
Jörg Jenatsch, Ed. Casagrande, Bellinzona 1993

Friedrich Nietzsche
Menschliches allzu Menschliches, Der Wanderer und sein Schatten, 1879 Aphorismen Nr. 295 und 338
Humain trop humain, Le voyageur et son ombre, aphorismes 295 et 338, traduction Robert Rovini, Gallimard, Paris 1968
Umano, troppo umano, Il viandante e la sua ombra, aforismi 295 e 338, Edizione italiana condotta sul testo critico originale stabilito da G. Colli e M. Montinare, Milano, Adelphi, dal 1964

Nevicata all'Alp Roseg, 1979

Jean Cocteau
Le Requiem, Gallimard, Paris 1962
Traduzione di Filippo Grandi
Übersetzung von Hanno Helbling

Theodor W. Adorno
Aus Sils Maria, in: Kulturkritik und Gesellschaft I. Gesammelte Schriften. Bd. 10.1., Suhrkamp Verlag, Frankfurt am Main 1977
Parva Aesthetica, Traduzione di E. Fianchetti, Feltrinelli, Milano 1979

Friedrich Nietzsche
Sils-Maria, in: Die fröhliche Wissenschaft, "La gaia scienza", Anhang: Lieder des Prinzen Vogelfrei, 1. Veröffentlichung 1882
Sils Maria, in: La gaia scienza, Edizione italiana condotta sul testo critico originale stabilito da G. Colli e M. Montinare, Milano, Adelphi, dal 1964
Sils-Maria, Le gai Savoir, Gallimard, Paris 2000

Hermann Hesse
Engadiner Erlebnisse, in: Beschreibungen einer Landschaft. Schweizer Miniaturen. Suhrkamp Verlag, Frankfurt am Main 1990
Description d'un Paysage, Miniatures Suisses, édition J. Corti, Paris 1994

Stefan Zweig
Rausch der Verwandlung, Fischer Verlag, Frankfurt 1987
Ivresse de la Métamorphose, ed. P. Belfond, Paris 1984

Giovanni Segantini
Venticinque lettere, a cura di Lamberto Vitali, All'insegna del pesce d'oro, Scheiwiller, Milano 1970
Gioconda Leykauf Segantini, Aus Briefen und Schriften, Da Scritti e Lettere, Inquell-Verlag, Hof 2001

Eugenio Montale
Ventidue prose elvetiche, Scheiwiller, Milano 1994

Gottardo Segantini
In memoria di Giovanni Giacometti, in "Graubünden in den Werken der Dichter", hrsg. Paul Emanuel Müller, Disentis Verlag, Disentis 1985

Giovanni Giacometti
In "Graubünden in den Werken der Dichter", hrsg. Paul Emanuel Müller, Disentis Verlag, Disentis 1985

Alfons Tuor
In André Beerli, Grisons, TCS e Shell Switzerland, Bern 1970

Gian Fadri Caderas
In André Beerli, Grisons, TCS e Shell Switzerland, Bern 1970

Peter Lippert
Aus dem Engadin: Briefe zum Frohmachen, Verlag Ars Sacra, München 1929

Marcel Proust
Les Plaisirs et les Jours, Gallimard, Paris 1924
I piaceri e i giorni, Bollati Boringhieri, Torino 1988
traduzione utilizzata: Filippo Grandi
Freuden und Tage. Übertragen und herausgegeben von Luzius Keller, Suhrkamp Verlag, Frankfurt am Main 1988

Paganino Gaudenzio
In Scrittori del Grigione Italiano, Antologia letteraria, ed.Armando Dadò, Locarno 1998

Hermann Hesse
Engadiner Erlebnisse, in: Beschreibungen einer Landschaft. Schweizer Miniaturen. Suhrkamp Verlag, Frankfurt am Main 1990
Description d'un Paysage, Miniatures Suisses, édition J. Corti, Paris 1994

Jakob Christoph Heer
Der König der Bernina, in: "Graubünden in den Werken der Dichter", hrsg. Paul Emanuel Müller, Disentis Verlag, Disentis 1985

Gottfried Benn
Sils-Maria, in: Statische Gedichte, Arche Verlag, Zürich 1948
Poesie statiche, traduzione di G. Baioni, Einaudi, Torino 1972
Poèmes statiques, Gallimard, Paris 1972, traduction de Pierre Garnier

Arthur Caflish
In: André Beerli, Grisons, TCS e Shell Switzerland, Bern 1970

Hermann Hesse
Engadiner Erlebnisse, in: Beschreibungen einer Landschaft. Schweizer Miniaturen. Suhrkamp Verlag, Frankfurt am Main 1990
Description d'un Paysage, Miniatures Suisses, édition J. Corti, Paris 1994

Jon Pult
In: André Beerli, Grison, TCS e Shell, Switzerland, Bern 1970

Andri Peer
Poesias, Verlag Bündner Monatsblatt, 1994

Richard Strauss
Briefwechsel mit Willi Schuh, in: Kurt Wanner, "Der Himmel schon südlich, die Luft noch frisch", Verlag Bündner Monatsblatt, Chur 1993

Sylvia Andrea
"Faustine", in "Graubünden in den Werken der Dichter", hrsg. Paul Emanuel Müller, Disentis Verlag, Disentis 1985

Stefan Zweig
Von den Sorglosen, in Anna Kurth, Jürg Amann "Engadin, ein Lesebuch", Arche Verlag, Zürich u. Hamburg 1998

Eugenio Montale
Ventidue prose elvetiche, Scheiwiller, Milano 1994

Thomas Mann
In Kurt Wanner, "Der Himmel schon südlich, die Luft noch frisch", Bündner Monatsblatt, Chur 1993

Hermann Hesse
"Im Auto über den Julierpass", in Franz Baumer "Hermann Hesse und seine Zeit im Engadin", Calanda Verlag, Chur 1999

Andrea Bezzola
In: André Beerli, Grisons, TCS e Shell Switzerland, Bern 1970

Finito di stampare
nel mese di agosto 2004
dalle Grafiche Nicolini - Gavirate (Va)